Prüfungstraining

DSD Stufe 2

Deutsches Sprachdiplom
der Kultusministerkonferenz

von Jürgen Weigmann

Prüfungstraining
Deutsches Sprachdiplom der Kultusministerkonferenz
DSD Stufe 2

Symbole

 Hörtext auf CD

Im Auftrag des Verlages erarbeitet von Jürgen Weigmann

Redaktion: Friederike Jin, Katrin Rebitzki
Projektleitung: Gertrud Deutz

Fachberatung: Carola Heine

Illustrationen: Andreas Terglane
Umschlaggestaltung: hawemannundmosch, bureau für gestaltung, Berlin
Layout und technische Umsetzung: Andrea Päch, Berlin

Weitere Hinweise zur Arbeit mit dem Prüfungstraining online unter: www.cornelsen.de/daf-dsd.

www.cornelsen.de

Die Links zu externen Webseiten Dritter, die in diesem Lehrwerk angegeben sind, wurden vor Drucklegung sorgfältig auf ihre Aktualität geprüft. Der Verlag übernimmt keine Gewähr für die Aktualität und den Inhalt dieser Seiten oder solcher, die mit ihnen verlinkt sind.

1. Auflage, 1. Druck 2015

Alle Drucke dieser Auflage sind inhaltlich unverändert und können im Unterricht nebeneinander verwendet werden.

Druck: H. Heenemann, Berlin

ISBN 978-3-06-022900-0

PEFC zertifiziert
Dieses Produkt stammt aus nachhaltig bewirtschafteten Wäldern und kontrollierten Quellen.
www.pefc.de

Liebe Prüfungskandidatinnen und Prüfungskandidaten, liebe Lehrerinnen und Lehrer,

das vorliegende **Prüfungstraining DSD Stufe 2** dient der gezielten Prüfungsvorbereitung auf das **Deutsche Sprachdiplom der Kultusministerkonferenz, Niveaustufe B2/C1 (DSD Stufe 2).**

Der Prüfungstrainer besteht aus drei Trainingsphasen: Basistraining, Powertraining und Abschlusstraining. Jede Phase enthält einen kompletten Übungstest. Die Tests entsprechen in Aufbau und Sprachniveau der DSD-Prüfung. Zu den Tests gibt es zwei CDs mit den Texten zum Hörverstehen und mit Beispielen für mündliche Prüfungen.

Als Prüfungskandidat/in können Sie das Buch allein durcharbeiten. Sie werden dabei Schritt für Schritt alle Teile der Prüfung kennenlernen und intensiv bearbeiten, die Aufgaben lösen und Ihre Antworten im Lösungsschlüssel überprüfen.

Als Lehrer/in können Sie das Prüfungstraining in Ihrem Unterricht zur gezielten Vorbereitung der Schülerinnen und Schüler auf das DSD 2 einsetzen.

Im Einzelnen erfahren Sie,

- wie die Prüfung aufgebaut ist,
- wie sie abläuft,
- wie viele Punkte in jedem Teil erreicht werden können,
- was in jedem Prüfungsteil verlangt wird,
- wie die Aufgaben zu bearbeiten sind,
- wie man mit den Aufgaben am besten umgeht und
- worauf man ganz besonders aufpassen muss.

Zu allen Prüfungsteilen bekommen Sie als Prüfungskandidat/in außerdem wichtige Informationen darüber,

- wie Sie sich die Zeit sinnvoll einteilen können,
- wie Sie sich auf die Prüfungssituation vorbereiten können und
- wie Sie sich vor und während der Prüfung am besten verhalten.

Außerdem finden Sie online unter **www.cornelsen.de/daf-dsd** einen Modelltest sowie weitere Hinweise zur Arbeit mit dem Prüfungstraining.

Verlag und Autor wünschen Ihnen viel Spaß bei der Vorbereitung mit unserem Trainingsprogramm und natürlich viel Erfolg in der richtigen Prüfung!

Wie ist das Trainingsprogramm aufgebaut?

Das Trainingsprogramm hat drei Phasen:

Phase 1: Basistraining mit Übungstest 1
Phase 2: Powertraining mit Übungstest 2
Phase 3: Abschlusstraining mit Übungstest 3

Außerdem gibt es einen Modelltest (Übungstest 4), der online steht und kostenlos heruntergeladen werden kann: www.cornelsen.de/daf-dsd

Wie viel Zeit brauche ich für das ganze Programm?

Die Teile *Leseverstehen* und *Hörverstehen* können Sie relativ schnell bearbeiten. Dafür brauchen Sie etwa sechs Wochen, wenn Sie in jeder Woche ungefähr zwei Stunden mit dem Prüfungstrainer arbeiten.

Die Vorbereitung auf die mündliche Prüfung erfordert sehr viel mehr Zeit. Am besten, Sie schauen sich das Basistraining zur *Mündlichen Kommunikation* schon einmal an, bevor Ihr Lehrer / Ihre Lehrerin das Thema mit Ihnen bespricht und festlegt, also ungefähr ein halbes Jahr vor der richtigen Prüfung.

Auch die Vorbereitung auf die schriftliche Prüfung erfordert relativ viel Zeit. Hier im Prüfungstrainer geht es hauptsächlich um Strategien, wie Sie die Prüfungsaufgaben am besten bearbeiten können. Dafür brauchen Sie ca. zwei bis drei Wochen, wenn Sie jeden Tag etwa eine Stunde mit dem Prüfungstrainer arbeiten.

Wenn Sie den Trainer alleine durcharbeiten, sollten Sie sich einen Zeitplan machen. Nur so können Sie sicher sein, dass Sie auch alles rechtzeitig schaffen.

Wenn Sie das Programm in der Schule mit dem Lehrer / der Lehrerin durchnehmen, wird er/sie die Einteilung der Zeit übernehmen.

Was passiert in den drei Trainingsphasen?

Phase 1: Basistraining mit Übungstest 1

In der ersten Trainingsphase mit dem Übungstest 1 lernen Sie eine vollständige Prüfung kennen. In jedem Prüfungsteil finden Sie wichtige Erläuterungen zu den einzelnen Aufgaben. In kleinen Schritten lernen Sie die notwendigen Strategien, um ein möglichst gutes Ergebnis zu erzielen. Einige wichtige Informationen werden in Memos auf Notizzetteln am Rand des Textes zusammengefasst. Die Anwendung der Schritte und Memos wird in den folgenden Phasen wiederholt und vertieft.

Phase 2: Powertraining mit Übungstest 2

Im *Leseverstehen* und *Hörverstehen* lernen Sie vor allem, die Arbeitsschritte und Memos auf einen neuen Test anzuwenden.

In der *Schriftlichen Kommunikation* und der *Mündlichen Kommunikation* hören und lesen Sie Beispiele aus richtigen Prüfungen, die Sie analysieren und (teilweise) verbessern.

Sie lernen auch, wie diese Prüfungsteile in der richtigen Prüfung ablaufen und worauf Sie achten müssen, um Fehler zu vermeiden.

Phase 3: Abschlusstraining mit Übungstest 3

Im *Leseverstehen* bearbeiten Sie den Übungstest 3. Dabei wenden Sie wieder die Arbeitsschritte und Memos aus den vorangegangenen Phasen an. Außerdem können Sie Ihre individuelle Arbeitszeit überprüfen und besser einteilen. Dabei lernen Sie auch, die Gesamtzeit einzuhalten. Schließlich können Sie im Abschlusstraining auch die vorgeschlagenen Arbeitsschritte für sich selbst optimieren und lernen, das Antwortblatt am Ende des Prüfungsteils richtig auszufüllen.

Im *Hörverstehen* können Sie herausfinden, welche Teile und/oder Schritte Ihnen vielleicht noch Schwierigkeiten bereiten. Sie können dann die Erklärungen dazu im Basistraining noch einmal durchlesen. Auch im *Hörverstehen* lernen Sie, das Antwortblatt auszufüllen.

In der *Schriftlichen Kommunikation* bearbeiten Sie eine komplette Prüfungsaufgabe mithilfe der gelernten Strategien. Außerdem haben Sie Gelegenheit, Ihre Zeiteinteilung für die Prüfung zu optimieren.

In der *Mündlichen Kommunikation* wenden Sie die Arbeitsschritte und Memos auf einen weiteren Übungstest an. Dabei bereiten Sie auch Ihr eigenes Referat für die richtige Prüfung vor. Auch in diesem Prüfungsteil können Sie Ihre Zeiteinteilung testen und verbessern.

Wenn Sie alle drei Phasen durchgearbeitet haben, können Sie einen Probetest machen. Sie finden ihn mit den Audiodateien für das Hörverstehen im Internet unter www.cornelsen.de/daf-dsd. Diesen Test sollten Sie wie in der richtigen Prüfung durcharbeiten und dabei vor allem auch konsequent die vorgegebenen Zeiten einhalten.

Wie arbeite ich mit dem Prüfungstrainer?

Wenn Sie alleine mit dem Buch arbeiten, können Sie sich an folgenden Zeiten orientieren:

Ein halbes Jahr vor der Prüfung → *Mündliche* und *Schriftliche Kommunikation* (Phase 1 bis 3) beginnen

Drei Monate vor der Prüfung → *Leseverstehen* und *Hörverstehen* (Phase 1 bis 3) beginnen

Einen Monat vor der Prüfung → Probetest durcharbeiten

Nach dem Probetest → bestimmte Teile des Basistrainings wiederholen

Weitere Informationen für Schülerinnen und Schüler, die allein mit dem Prüfungstraining arbeiten, und für Lehrerinnen und Lehrer, die das Prüfungstraining im Unterricht einsetzen wollen, finden Sie online unter www.cornelsen.de/daf-dsd.

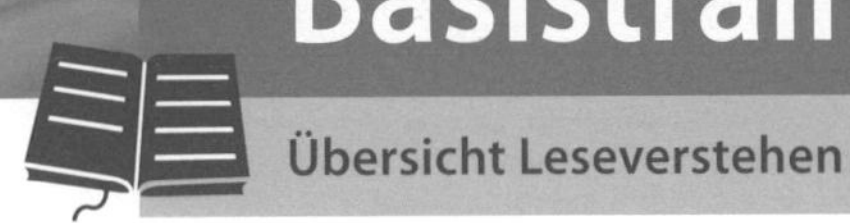

Leseverstehen: Übersicht

Der Prüfungsteil *Leseverstehen* besteht aus vier Teilen. Für die Bearbeitung des gesamten Prüfungsteils haben Sie 75 Minuten Zeit. Anschließend bekommen Sie noch 10 Minuten, um die Lösungen in das Antwortblatt zu übertragen.

Sie müssen selbst entscheiden, wie viel Zeit Sie sich für jeden Prüfungsteil nehmen wollen. In der Tabelle unten stehen ungefähre Zeiten, an denen Sie sich orientieren können. Im Abschlusstraining können Sie Ihre individuellen Arbeitszeiten testen und optimieren.

Für alle vier Teile zusammen können Sie maximal 24 Punkte bekommen.

	Text	Aufgabentyp	Punkte	Zeit
Teil 1	fünf kurze Sachtexte (je 70–80 Wörter) mit erweitertem Wortschatz und komplexen Strukturen	Zuordnung von Überschriften	5 Punkte	ungefähr 10 Minuten
Teil 2	ein berichtender, erklärender Text (ca. 400–450 Wörter) mit komplexen Strukturen	Aufgaben mit drei Optionen: richtig/falsch / kommt im Text nicht vor	7 Punkte	ungefähr 15 Minuten
Teil 3	ein erklärender, populärwissenschaftlicher Text (ca. 500 Wörter) mit Fachwortschatz	Text mit Satzlücken	5 Punkte	ungefähr 20 Minuten
Teil 4	ein argumentativer, problematisierender Text (ca. 750 Wörter) mit einem breiten Spektrum an komplexen Strukturen	Multiple-Choice-Aufgaben mit drei Optionen	7 Punkte	ungefähr 30 Minuten

Um das Niveau B 2 zu erreichen, sind (in der Regel)* mindestens 8 Punkte erforderlich.
Um das Niveau C1 zu erreichen, benötigen Sie (in der Regel)* mindestens 14 Punkte.

* Gelegentlich werden die Bestehensgrenzen geändert. Das wird Ihnen aber vor der Prüfung mitgeteilt.

Teil 1

Aufgabe jetzt noch nicht lösen, erst das Basistraining bearbeiten!

Suche nach Leben im All

Lesen Sie zuerst die folgenden Überschriften (A–I). Lesen Sie dann die nachstehenden Meldungen (1–5). Welche Überschrift passt zu welchem Text?

Schreiben Sie den richtigen Buchstaben (A–I) in die rechte Spalte.

Sie können jeden Buchstaben nur einmal wählen. Vier Buchstaben bleiben übrig.

Beispiel:

Z	Je gebildeter, desto leichtgläubiger

Aufgaben:

A	Bisherige Vorstellung vom Leben revolutioniert
B	Neue Mikrobenart im Weltall entdeckt
C	Vielleicht sind wir doch die Einzigen
D	Außerirdische Lebensformen gefunden
E	Mehrheit glaubt an Außerirdische
F	Weitere erdähnliche Planeten entdeckt
G	Lauschangriff auf das Universum
H	Hinweise auf Existenz außerirdischen Lebens
I	Riesenteleskop findet neue Supererde

0	Vier von zehn Bundesbürgern glauben einer Umfrage zufolge an die Existenz außerirdischer Lebewesen. Gut ein Drittel dieser Menschen ist überzeugt, dass fremde Wesen den Planeten bereits betreten haben. Das hat eine wissenschaftliche Umfrage ergeben. Die Bereitschaft, an außerirdisches Leben zu glauben, nimmt demnach mit steigendem Bildungsgrad zu. Fast die Hälfte aller Männer vermutet Formen intelligenten Lebens im All, Frauen sind mit rund einem Drittel Zustimmung deutlich skeptischer. Die meisten stellen sich die Besucher aus dem Weltall als menschenähnliche Wesen vor.	**Z**
1	Wenn man heute Bakterien auf anderen Planeten entdecken würde, wäre das noch kein Beweis für die Existenz von Außerirdischen. Die Wissenschaftler sind sich nämlich nicht sicher, ob die Weiterentwicklung von Bakterien zu komplexen Lebensformen dort genauso verlaufen wäre wie auf der Erde. Drei Milliarden Jahre lang lebten auf unserem Planeten nur Bakterien. Die Entstehung komplexen Lebens könnte also ein extrem seltener Sonderfall sein – und dann wäre die Menschheit vielleicht die einzige intelligente Spezies im Universum.	C
2	Mit einem „Super-Ohr" wollen Astronomen die Geheimnisse der Entstehung des Universums lüften. Auf einem Hochplateau in Chile in etwa 5000 Metern Höhe wurden 66 modernste Antennen von je zwölf Metern Durchmesser in Betrieb genommen. Sie können über eine Fläche von zehn Kilometern Durchmesser bewegt und gleichzeitig auf das zu beobachtende Objekt ausgerichtet werden. Gemeinsam simulieren die Antennen ein Radioteleskop von zehn Kilometern Durchmesser. Damit wollen die Forscher auch noch die schwächsten Signale aus dem Weltall abhören.	G
3	Die Suche nach neuem Leben auf der Erde und im Weltall wird sich nach dieser Nachricht weiter verstärken: In den Tiefen eines kalifornischen Salzsees haben Wissenschaftler eine Lebensform gefunden, welche die bisherigen wissenschaftlichen Theorien von organischem Leben infrage stellt. Dass Bakterien wahre Überlebenskünstler sind, die selbst unter extremen Bedingungen leben können, weiß man schon lange. Aber dass sie sich im Gegensatz zu allen bisher bekannten Mikroben von dem chemischen Element Arsen ernähren, war eine wissenschaftliche Sensation.	A
4	Der Saturnmond Titan ist ein lebensfeindlicher Ort. Auf seiner Oberfläche herrschen im Durchschnitt minus 180 Grad Celsius. Es gibt Berge, Dünen und riesige Seen – anstelle von Wasser regnet es jedoch flüssiges Methangas. Dennoch gilt der Titan als der erdähnlichste Himmelskörper des Sonnensystems. Bereits 2005 vermuteten Wissenschaftler, dass auf diesem Mond Mikroben leben könnten. Seit 2004 umkreist die Raumsonde „Cassini" den Saturn und hat Daten zur Erde geschickt, die die Vermutung verstärken, dass es auf dem Titan einfache Lebensformen geben könnte.	H
5	Allein in der Galaxis, zu der unsere Erde gehört, existieren etwa 160 Milliarden Rote Zwerge. So heißt eine Klasse von Sonnen, die kleiner und kühler sind als unsere eigene Sonne. Davon haben die Astronomen etwa hundert untersucht. In der Nähe dieser Sonnen konnten sie neun Supererden nachweisen, also Planeten mit einer Masse, die ungefähr der unserer Erde entspricht. Zwei dieser Himmelskörper kreisen sogar in einer Entfernung um ihre Sonne, die flüssiges Wasser möglich macht und damit eine Grundvoraussetzung für Leben erfüllt.	F

Leseverstehen Teil 1: Basistraining

In diesem Prüfungsteil bekommen Sie fünf kurze Texte (1–5). Dazu gibt es neun Überschriften (A–I). Bei jeder Aufgabe müssen Sie erkennen, welche Überschrift zu welchem Kurztext passt. Vier Überschriften bleiben übrig.

Schritt 1: Lesen Sie die Überschrift.

Schauen Sie sich die Überschrift an. Sie verrät Ihnen, worum es in diesem Prüfungsteil inhaltlich geht.

Übung 1

Welche Stichwörter könnten zu dieser Überschrift passen? Kreuzen Sie an.

Teil 1

Suche nach Leben im All

A ☐ Sonnen, Planeten, Monde
B ☐ Lebensformen, Entstehung des Lebens, Entwicklung des Lebens
C ☐ Flugzeuge, Hubschrauber
D ☐ bemannte Raumfahrt, Raumschiffe, Kolonien auf dem Mond
E ☐ Ökologie, Umweltbelastung, Umweltschutz
F ☐ Kernspaltung, Atomkraft, Kernkraftwerke
G ☐ Teleskope, Radioteleskope
H ☐ Außerirdische, ET, extraterrestrische Besucher

Manchmal sind die Überschriften bei diesem Prüfungsteil ungenau. Trotzdem ist es meistens möglich, sich vorzustellen, was in den Texten inhaltlich vorkommt.

Übung 2

Was erwarten Sie bei den folgenden Überschriften? Notieren Sie Stichwörter.

1. Neues vom Film
2. Ungewöhnliche Ereignisse
3. Rund um den Fußball

Für den Prüfungsteil *Leseverstehen* haben Sie insgesamt 75 Minuten Zeit. Sie können selbst entscheiden, wie viel Zeit Sie für jeden Prüfungsteil verwenden wollen. Für Schritt 1 sollten Sie nicht viel Zeit verbrauchen. Wenn Ihnen die Überschrift zu diesem Prüfungsteil nicht viel sagt, können Sie diesen Schritt auch auslassen und sofort mit Schritt 2 weitermachen.

Schritt 2: Schauen Sie sich Überschrift Z und Beispieltext 0 an.

Schauen Sie sich kurz den Beispieltext und die passende Überschrift auf Seite 9 und 10 an. Das hilft Ihnen zu verstehen, worum es in der Aufgabe geht. Streichen Sie dann Beispieltext und Beispielüberschrift durch. Beide werden in der Aufgabe nicht mehr verwendet.

MEMO
Schritt 1 und 2 schnell bearbeiten.

Schritt 3: Lesen Sie alle Überschriften.

In der Arbeitsanweisung heißt es ganz am Anfang: „Lesen Sie zuerst die folgenden Überschriften (A–I)." Das ist sinnvoll, denn die Überschriften sind kurz und meistens leicht verständlich. Die wichtigen Informationen stecken in den Schlüsselwörtern. Das sind meistens Nomen oder Verben. Wenn Sie darauf achten, ahnen Sie auch schon, worum es in dem dazu passenden Text gehen könnte. Wenn es Ihnen hilft, können Sie die wichtigen Informationen natürlich auch markieren.

Übung 3

Lesen Sie die Überschriften A–I. Markieren Sie die Schlüsselwörter.

A	Bisherige Vorstellung vom Leben revolutioniert
B	Neue Mikrobenart im Weltall entdeckt
C	Vielleicht sind wir doch die Einzigen
D	Außerirdische Lebensformen gefunden
E	Mehrheit glaubt an Außerirdische
F	Weitere erdähnliche Planeten entdeckt
G	Lauschangriff auf das Universum
H	Hinweise auf Existenz außerirdischen Lebens
I	Riesenteleskop findet neue Supererde

Überschriften in Zeitungen (und in anderen Publikationen) sind meistens stark verkürzt. Der Leser soll sie schnell lesen können. Außerdem soll seine Aufmerksamkeit geweckt werden. Lange Sätze würden da nur stören. Aber weil die Überschriften so kurz sind, ist es manchmal nicht leicht, ihre Bedeutung sofort zu verstehen. Hier ein Beispiel:

A Bisherige Vorstellung vom Leben revolutioniert

Diese Überschrift sagt, dass jemand bis jetzt eine bestimmte Vorstellung davon hatte, was Leben ist und dass es (wahrscheinlich) neue Erkenntnisse/Entdeckungen gibt, die der bisherigen Vorstellung widersprechen.

Das ist nicht leicht zu verstehen, weil der Satz „unvollständig" ist. Das heißt, wir erfahren nicht, wer hier eine „Vorstellung vom Leben" hat und wodurch diese Vorstellung revolutioniert wird. Die Überschrift endet mit einem Partizip II wie in einem Passivsatz, und die handelnde Person wird nicht genannt. Komplett könnte der Satz lauten:

„Die bisherige Vorstellung (‚die die Wissenschaft) vom Leben (hat,) wird durch neue Erkenntnisse (der Wissenschaft) revolutioniert."

Übung 4

Kreuzen Sie in Übung 3 alle Überschriften an, die so aufgebaut sind wie Überschrift A. Notieren Sie dann, wie die vollständigen Überschriften lauten müssten.

Wenn Sie genau hinschauen, werden Sie feststellen, dass auch die meisten anderen Überschriften keine kompletten Sätze sind. In folgender Überschrift fehlt zum Beispiel das Prädikat:

G Lauschangriff auf das Universum

Vollständig könnte dieser Satz lauten: „Wissenschaftler/Astronomen planen einen Lauschangriff auf das Universum." Oder auch: „Wissenschaftler/Astronomen führen einen Lauschangriff auf das Universum durch."

Häufig wird in Überschriften auch das Präsens verwendet, wo eigentlich das Perfekt oder das Präteritum stehen müsste, oder es werden Artikel weggelassen, wie zum Beispiel in Überschrift I.

MEMO

Verkürzte oder unvollständige Überschriften zu vollständigen Sätzen umformulieren.

I Riesenteleskop findet neue Supererde

Übung 5

Finden Sie weitere unvollständige Überschriften in Übung 3. Machen Sie daraus vollständige Sätze.

Schritt 4: Markieren Sie die wichtigen Informationen im ersten Text.

Nachdem Sie erkannt haben, worum es in den Texten inhaltlich geht und was die Überschriften bedeuten, müssen Sie den ersten Text lesen und die wichtigen Informationen markieren.

Lesen Sie die folgenden Texte noch nicht! Je mehr Texte Sie gelesen haben, desto mehr Informationen müssen Sie sich merken. Das macht die Aufgabe schwerer.

MEMO

Nicht alle Texte auf einmal lesen. Zeit sparen.

Übung 6

a Markieren Sie die wichtigen Informationen in Text 1.

1	Wenn man heute Bakterien auf anderen Planeten entdecken würde, wäre das noch kein Beweis für die Existenz von Außerirdischen. Die Wissenschaftler sind sich nämlich nicht sicher, ob die Weiterentwicklung von Bakterien zu komplexen Lebensformen dort genauso verlaufen wäre wie auf der Erde. Drei Milliarden Jahre lang lebten auf unserem Planeten nur Bakterien. Die Entstehung komplexen Lebens könnte also ein extrem seltener Sonderfall sein – und dann wäre die Menschheit vielleicht die einzige intelligente Spezies im Universum.	

b Worum geht es in dem Text? Notieren Sie.

Schritt 5: Finden Sie eine passende Überschrift für den ersten Text.

Um eine passende Überschrift zu Text 1 zu finden, müssen Sie den Text noch einmal lesen. Achten Sie dabei auf Ihre Markierungen. Merken Sie sich so gut wie möglich, worum es in diesem Text geht. Gehen Sie dann zu den Überschriften. Lesen Sie die Überschriften der Reihe nach durch, bis Sie zu einer Überschrift kommen, die zum Inhalt des Textes passen könnte.

Wenn Sie ganz sicher sind, dass Sie die passende Überschrift gefunden haben, schreiben Sie den entsprechenden Buchstaben neben den Text und streichen Sie die Überschrift durch. Dadurch wird die Anzahl der Überschriften von Text zu Text kleiner und Sie vermeiden, aus Versehen dieselbe Überschrift noch einmal zu verwenden.

MEMO

Verwendete Überschriften durchstreichen.

Wenn Sie nicht sicher sind, ob die Überschrift passt, lesen Sie weiter, bis Sie zu einer anderen Überschrift kommen, die vielleicht passt. Notieren Sie auch den Buchstaben dieser Überschrift neben dem Text. Meistens gibt es zwei Überschriften, die zu einem Text passen könnten, manchmal auch mehrere.

MEMO

Meistens gibt es zwei oder mehr ähnliche Überschriften.

Wenn Sie sich zwischen zwei (oder gar mehreren) Texten entscheiden müssen, konzentrieren Sie sich noch einmal auf die wichtigen Informationen im Text. Vergegenwärtigen Sie sich das Thema, um das es geht. Fassen Sie den Text – wenn möglich – in ein oder zwei Sätzen für sich zusammen. Vergleichen Sie Schlüsselwörter und Thema des Textes mit den Überschriften, die Sie gefunden haben. Machen Sie sich klar, warum eine bestimmte Überschrift Ihrer Meinung nach passt oder nicht.

Übung 7

a Welche Überschriften könnten zu Text 1 passen? Kreuzen Sie an.

A	Bisherige Vorstellung vom Leben revolutioniert
B	Neue Mikrobenart im Weltall entdeckt
C	Vielleicht sind wir doch die Einzigen
D	Außerirdische Lebensformen gefunden
E	Mehrheit glaubt an Außerirdische
F	Weitere erdähnliche Planeten entdeckt
G	Lauschangriff auf das Universum
H	Hinweise auf Existenz außerirdischen Lebens
I	Riesenteleskop findet neue Supererde

b Welche Überschrift passt genau und warum? Notieren Sie.

Vergleichen Sie jeden Text genau mit den Überschriften, die passen könnten. Achten Sie dabei auch auf Wörter, die Sie in die Irre führen können. So gibt es Texte und Überschriften, bei denen bestimmte Schlüsselwörter gleich sind, die aber trotzdem nicht zusammenpassen.

Übung 8

Lesen Sie Text 3 und Überschrift B. Unterstreichen Sie gleiche Wörter und Wörter mit ähnlicher Bedeutung und erklären Sie, warum diese Wörter in die Irre führen.

B Neue Mikrobenart im Weltall entdeckt

3	Die Suche nach neuem Leben auf der Erde und im Weltall wird sich nach dieser Nachricht weiter verstärken: In den Tiefen eines kalifornischen Salzsees haben Wissenschaftler eine Lebensform gefunden, welche die bisherigen wissenschaftlichen Theorien von organischem Leben infrage stellt. Dass Bakterien wahre Überlebenskünstler sind, die selbst unter extremen Bedingungen leben können, weiß man schon lange. Aber dass sie sich im Gegensatz zu allen bisher bekannten Mikroben von dem chemischen Element Arsen ernähren, war eine wissenschaftliche Sensation.	

Also Vorsicht: Wörtliche Übereinstimmungen oder sehr ähnliche Begriffe und Formulierungen können in die falsche Richtung führen, müssen aber nicht.

Übung 9

a **Lesen Sie Text 3 und Überschrift A. Unterstreichen Sie die Stellen, die sich inhaltlich und sprachlich ähnlich sind.**

A	Bisherige Vorstellung vom Leben revolutioniert

3	Die Suche nach neuem Leben auf der Erde und im Weltall wird sich nach dieser Nachricht weiter verstärken: In den Tiefen eines kalifornischen Salzsees haben Wissenschaftler eine Lebensform gefunden, welche die bisherigen wissenschaftlichen Theorien von organischem Leben infrage stellt. Dass Bakterien wahre Überlebenskünstler sind, die selbst unter extremen Bedingungen leben können, weiß man schon lange. Aber dass sie sich im Gegensatz zu allen bisher bekannten Mikroben von dem chemischen Element Arsen ernähren, war eine wissenschaftliche Sensation.	

b **Begründen Sie, warum Überschrift A zu Text 3 passt.**

Schritt 6: Bearbeiten Sie die übrigen Texte wie in Schritt 4 und 5 beschrieben.

Übung 10

Gehen Sie zum Übungstest auf Seite 9 und finden Sie die passenden Überschriften zu den übrigen Texten.

Entscheiden Sie sich schon beim ersten Durchgang bei jedem Text für eine Überschrift, auch dann, wenn Sie sich vielleicht nicht ganz sicher sind. Im zweiten Durchgang können Sie Ihre Lösung noch einmal überprüfen und – wenn nötig – ändern.

MEMO
Schon im ersten Durchgang unbedingt eine Lösung notieren.

Schritt 7: Kontrollieren Sie Ihre Lösungen.

Wenn noch Zeit ist, vergleichen Sie Texte und Überschriften noch einmal miteinander.

- Worum geht es im Text? Was steht in der Überschrift?
- Haben Sie jedem Text einen Buchstaben zugeordnet?
- Haben Sie jeden Buchstaben nur einmal verwendet?

Teil 2

Aufgabe jetzt noch nicht lösen, erst das Basistraining bearbeiten!

Pferde helfen Schülerinnen

Lesen Sie den Text und die Aufgaben (6–12).

Kreuzen Sie bei jeder Aufgabe (6–12) an: „richtig", „falsch" oder „Der Text sagt dazu nichts".

In einer Projektgruppe in Marburg lernen Mädchen, die große Schwierigkeiten mit dem Leben haben, wie man mit Pferden umgeht. Zu ihren Aufgaben gehört es, die Tiere zu pflegen. Deswegen müssen sie jeden Tag früh aufstehen und Verantwortung zeigen – das stärkt ihr Selbstvertrauen und dadurch klappt es auch wieder mit der Schule.

Die Mädchen kommen aus schwierigen Elternhäusern. Die meisten sind durch die Verhältnisse in der Familie schwer geschädigt und leiden unter Depressionen. Manche konnten irgendwann nicht mehr zur Schule gehen. Andere blieben einfach daheim, weil sie nicht mehr mit anderen Menschen zusammen sein konnten. Einige störten fast nur noch im Unterricht. Fast allen hatten die vielen Misserfolge das Vertrauen in ihre Leistungsfähigkeit genommen.

2006 wurde das Projekt „Mädchen-Pferde-Schule" ins Leben gerufen. In einem kleinen Fachwerkhaus am Marburger Stadtrand richtete sich die erste Mädchenwohngruppe ein. Heute gibt es noch zwei weitere Gruppen in der Nähe. Betreut werden sie von einem Team von Frauen, die Tag und Nacht zur Stelle sind.

Die schulischen Strukturen wurden komplett verändert. Morgens stehen die Mädchen weniger für die Schule als für ihre Tiere auf. Die Pferde müssen gebürstet, die Ziegen, Enten, Katzen, Hasen und Meerschweinchen gefüttert werden. Unterricht gibt es vormittags nur am Küchentisch. Dabei kümmert sich Förderschullehrerin Susanne Abel nicht um Lehrpläne.

Stattdessen lernen die Mädchen anhand von Dingen, die sie selbst interessieren. Wer einen Hasenstall bauen möchte, muss im Internet recherchieren und die Kosten für das Material errechnen. Wer sein Zimmer gestaltet, muss ausrechnen, wie viel Farbe man für die Wände braucht.

Außerdem gehen die Mädchen in eine Förderschule in einem benachbarten Ort. Sie haben immer denselben Lehrer, arbeiten in Kleingruppen und kommen zunächst nur nachmittags, wenn die anderen Schüler nicht in der Schule sind.

Wenn sie ihre Unsicherheit überwunden und wieder genügend Selbstvertrauen gewonnen haben, wechseln sie in den regulären Vormittagsunterricht. Manche gehen später sogar aufs Gymnasium. „Wir geben ihnen einfach die Lernzeit, die sie brauchen", sagt die Leiterin der Schule.

Die Pferde stehen drei Kilometer entfernt auf einem Reiterhof. „Das Reiten hat eine ganz besondere Faszination", erklärt die Schulleiterin: „Wenn sich so ein großes Pferd von den Mädchen führen lässt, wenn es auf Schenkeldruck reagiert und auf Kommando die Hufe hebt, wächst das Selbstbewusstsein der Mädchen."

Ihre rotbraune Stute sei genauso unberechenbar wie sie selbst, erzählt Rebecca, 16: „Wenn ich sie anschreie, macht sie gar nichts mehr." Seit sie in der Mädchenwohngruppe lebt, hat sie praktisch keinen Ärger mehr mit Lehrern – zuvor war das ein Dauerthema. „Ich habe gelernt, wieder zu lernen", so Rebecca. Seitdem findet sie sogar Mathe toll. Der Hauptschulabschluss ist in greifbarer Nähe. Der Realschulabschluss soll folgen. „Das ist richtig cool", sagt sie.

		richtig	falsch	Der Text sagt dazu nichts
		A	B	C
6	In einer Projektgruppe in Marburg lernen Mädchen, Verantwortung zu übernehmen.			
7	Die Mädchen in dieser Projektgruppe haben große persönliche Probleme.			
8	Am Vormittag lernen die Mädchen nach einem festen Lehrplan.			
9	Die Mädchen dürfen über die Gestaltung ihrer Zimmer selbst entscheiden.			
10	An der Förderschule lernen die Mädchen auch andere Schüler kennen.			
11	Wenn die Mädchen wieder Vertrauen zu sich selbst haben, können sie in ihre Familien zurückkehren.			
12	Durch die Arbeit mit ihrem Pferd hat Rebecca wieder Vertrauen zu sich selbst gewonnen.			

Leseverstehen Teil 2: Basistraining

In den Aufgaben 6–12 müssen Sie herausfinden, ob die Aussagen zu einem Text richtig oder falsch sind oder ob im Text nichts zu einer Aussage gesagt wird.

Schritt 1: Verschaffen Sie sich einen ersten Eindruck vom Text.

Lesen Sie nur die Überschrift und die ersten und letzten Sätze des Textes. Dieses orientierende Lesen gibt Ihnen einen ersten Eindruck vom Inhalt des Textes und spart Zeit.

MEMO

Nur Anfang und Ende des Textes lesen. Zeit sparen.

Übung 1

Lesen Sie die Überschrift zum Text und die ersten und letzten Sätze. Welche Informationen enthalten Sie? Kreuzen Sie an. Es gibt mehrere Möglichkeiten.

Pferde helfen Schülerinnen

In einer Projektgruppe in Marburg lernen Mädchen, die große Schwierigkeiten mit dem Leben haben, wie man mit Pferden umgeht.

...

„Ich habe gelernt, wieder zu lernen", so Rebecca. Seitdem findet sie sogar Mathe toll. Der Hauptschulabschluss ist in greifbarer Nähe. Der Realschulabschluss soll folgen. „Das ist richtig cool", sagt sie.

In diesem Text geht es (wahrscheinlich) um Mädchen, die ...

A ☐ lernen wollen, wie man mit Tieren richtig umgeht.

B ☐ sich auf einen Hauptschulabschluss vorbereiten.

C ☐ mithilfe von Pferden in ein normales Leben zurückfinden möchten.

D ☐ Tierpflegerinnen werden wollen.

E ☐ ihr Selbstvertrauen wieder zurückbekommen möchten.

Wenn Sie nach dem ersten Schritt noch nicht sicher sind, worum es in dem Text geht, ist das auch nicht schlimm. Schon im nächsten Schritt wird das deutlicher.

Schritt 2: Markieren Sie die wichtigen Informationen in den Aufgaben.

Lesen Sie alle Aufgaben unter dem Text durch. Markieren Sie dabei die wichtigen Informationen in jeder Aufgabe. Die wichtigen Informationen verbergen sich in den sogenannten Schlüsselwörtern. Es gibt aber auch andere wichtige Wörter; die sollten Sie einkreisen.

MEMO

Schlüsselwörter unterstreichen. Andere wichtige Wörter einkreisen.

Übung 2

Markieren Sie in den folgenden Aufgaben alle wichtigen Informationen.

6	In einer Projektgruppe in Marburg lernen Mädchen, Verantwortung zu übernehmen.
7	Die Mädchen in dieser Projektgruppe haben große persönliche Probleme.
8	Am Vormittag lernen die Mädchen nach einem festen Lehrplan.
9	Die Mädchen dürfen über die Gestaltung ihrer Zimmer selbst entscheiden.
10	An der Förderschule lernen die Mädchen auch andere Schüler kennen.
11	Wenn die Mädchen wieder Vertrauen zu sich selbst haben, können sie in ihre Familien zurückkehren.
12	Durch die Arbeit mit ihrem Pferd hat Rebecca wieder Vertrauen zu sich selbst gewonnen.

MEMO

Schwierige Aussagen in einfache Sätze umwandeln.

Wenn Sie Schwierigkeiten haben, eine Aussage zu verstehen oder sich das Wesentliche zu merken, vereinfachen Sie den Satz und machen Sie mehrere kurze Aussagesätze daraus wie in der folgenden Übung.

Übung 3

a Ergänzen Sie die fehlenden Wörter.

6 In einer Projektgruppe in Marburg lernen Mädchen, Verantwortung zu übernehmen.

Vereinfachung: In Marburg gibt es eine ____________. Die Projektgruppe ist (nur) für ____________. Die Mädchen ____________ dort etwas. Sie lernen, wie man ____________ übernimmt.

7 Die Mädchen in dieser Projektgruppe haben große persönliche Probleme.

Vereinfachung: Die Mädchen haben ____________. Die Probleme sind ____________. Es sind ____________ Probleme.

b Vereinfachen Sie die Aufgaben 8 bis 12 wie in Übung 3 a. Notieren Sie im Heft.

In der richtigen Prüfung haben Sie natürlich keine Zeit, die Sätze zu vereinfachen. Aber nachdem Sie die wichtigen Informationen markiert haben, wissen Sie schon ganz gut, worum es im Text gehen könnte.

Schritt 3: Finden Sie die passende Textstelle zu jeder Aussage.

Lesen Sie noch einmal Aufgabe 6. Achten Sie auf die markierten Wörter. Merken Sie sich möglichst genau, worum es in dieser Aussage geht. Lesen Sie dann den Text langsam und abschnittsweise von Anfang an. In diesem Prüfungsteil bezieht sich die Aufgabe 6 meistens schon auf den ersten oder zweiten Textabschnitt.

MEMO

Aufgabe lesen und sich die Aussage genau merken.

Wenn Sie in einem Abschnitt Informationen finden, die zu der Aussage in der Aufgabe passen, lesen Sie diesen Abschnitt bis zum Ende. Unterstreichen Sie dabei die Schlüsselwörter, die in Text und Aufgabe gleich oder ähnlich sind. Vergleichen Sie dann den gelesenen Abschnitt mit der Aussage in Aufgabe 6.

MEMO

Den Text bis zu der Stelle lesen, an der Informationen stehen, die zur Aufgabe passen.

Übung 4

Unterstreichen Sie die Schlüsselwörter in Aufgabe 6 und im Text.

6 In einer Projektgruppe in Marburg lernen Mädchen, Verantwortung zu übernehmen.

In einer Projektgruppe in Marburg lernen Mädchen, die große Schwierigkeiten mit dem Leben haben, wie man mit Pferden umgeht. Zu ihren Aufgaben gehört es, die Tiere zu pflegen. Deswegen müssen sie jeden Tag früh aufstehen und Verantwortung zeigen – das stärkt ihr Selbstvertrauen und dadurch klappt es auch wieder mit der Schule.

Wenn Sie ganz sicher sind, dass die Aussage richtig oder falsch ist, können Sie sofort ein Kreuz bei „richtig" oder „falsch" machen.

Aber passen Sie auf: Auch wenn die Schlüsselwörter in der Aufgabe und im Text wörtlich übereinstimmen oder ähnlich sind, zeigt das nur, dass Textstelle und Aufgabe miteinander zu tun haben. Es bedeutet nicht, dass die Textstelle richtig ist. Das können Sie nur durch einen genauen Vergleich herausfinden.

MEMO

Wörtliche Übereinstimmungen zwischen Aufgabe und Text können in die Irre führen.

Übung 5

a Unterstreichen Sie die Schlüsselwörter, die in Aufgabe 8 und im Text gleich oder ähnlich sind.

> **8** Am Vormittag lernen die Mädchen nach einem festen Lehrplan.

> Die schulischen Strukturen wurden komplett verändert. Morgens stehen die Mädchen weniger für die Schule als für ihre Tiere auf. Die Pferde müssen gebürstet, die Ziegen, Enten, Katzen, Hasen und Meerschweinchen gefüttert werden. Unterricht gibt es vormittags nur am Küchentisch. Dabei kümmert sich Förderschullehrerin Susanne Abel nicht um Lehrpläne.

b Begründen Sie in Ihren Worten, warum Aufgabe 8 falsch ist, obwohl mehrere Begriffe übereinstimmen oder ähnlich sind.

Wenn Sie nicht sicher sind, ob eine Textstelle richtig oder falsch ist, unterstreichen Sie die gesamte Textstelle und notieren Sie am Rand die Nummer der Aussage, die vielleicht passen könnte. Machen Sie daneben ein Fragezeichen. Lesen Sie dann weiter.

Wenn Sie sich für „richtig" oder „falsch" entschieden haben, machen Sie am Ende der Textstelle einen senkrechten Strich, der gut zu sehen ist, wie in dem folgenden Beispiel. Dann wissen Sie, wo Sie anschließend weiterlesen müssen.

MEMO

Am Ende einer Textstelle immer einen senkrechten Strich machen.

> In einer Projektgruppe in Marburg lernen Mädchen, die große Schwierigkeiten mit dem Leben haben, wie man mit Pferden umgeht. Zu ihren Aufgaben gehört es, die Tiere zu pflegen. Deswegen müssen sie jeden Tag früh aufstehen und Verantwortung zeigen – das stärkt ihr Selbstvertrauen und dadurch klappt es auch wieder mit der Schule. |

Manchmal ist es schwierig, eine passende Textstelle zu finden. Das liegt daran, dass die Schlüsselwörter aus der Aufgabe im Text oft gar nicht vorkommen. An ihrer Stelle werden im Text Synonyme oder ähnliche Ausdrücke gebraucht.

Übung 6

Unterstreichen Sie die Schlüsselwörter, die in der Aufgabe 7 und im Text gleich sind.

> **7** Die Mädchen in dieser Projektgruppe haben große persönliche Probleme.

Die Mädchen kommen aus schwierigen Elternhäusern. Die meisten sind durch die Verhältnisse in der Familie schwer geschädigt und leiden unter Depressionen. Manche konnten irgendwann nicht mehr zur Schule gehen. Andere blieben einfach daheim, weil sie nicht mehr mit anderen Menschen zusammen sein konnten. Einige störten fast nur noch im Unterricht. Fast allen hatten die vielen Misserfolge das Vertrauen in ihre Leistungsfähigkeit genommen.

In dieser Aufgabe und der Textstelle gibt es nur eine wörtliche Übereinstimmung bei dem Wort „Mädchen". Trotzdem passt die Textstelle zur Aussage, weil sie mehrere Beispiele für die Probleme enthält, die diese Mädchen haben.

Übung 7

Ergänzen Sie weitere Beispiele für Probleme der Mädchen aus dem Text zu Aufgabe 7.

Aufgabe	Im Text
persönliche Probleme	*schwierige Elternhäuser – Verhältnisse in der Familie*

Der Begriff „persönliche Probleme" ist ein Oberbegriff für all die Beispiele, die im Text stehen. Das müssen Sie erkennen.

Bevor Sie im Text weiterlesen, schauen Sie sich in der nächsten Aussage noch einmal die markierten Informationen an. Versuche Sie, sich wieder das Wichtigste zu merken.

Lesen Sie dann im Text weiter. Fangen Sie dort an zu lesen, wo Sie das Ende der letzten Textstelle markiert haben. Fangen Sie nicht wieder am Anfang an. Das spart Zeit. Die passenden Textstellen stehen immer in derselben Reihenfolge.

Lesen Sie in Abschnitten so lange weiter, bis Sie zu jeder Aussage eine passende Textstelle gefunden haben. Denken Sie daran, dass es zu jedem Abschnitt entweder eine Aufgabe oder keine gibt. Wenn Sie eine Textstelle gefunden haben, die passen könnte, vergleichen Sie diese genau mit der Aussage. Wenn Sie sicher sind, dass die Aussage richtig oder falsch ist, machen Sie ein Kreuz bei „richtig" oder „falsch". Aber Vorsicht: Manchmal finden Sie zwar eine wörtliche Übereinstimmung zwischen Text und Aussage oder zwischen ähnlichen Ausdrücken, aber die Aussage ist weder richtig, noch falsch. Im Text wird dazu nichts gesagt.

MEMO

Die passenden Textstellen und die Aufgaben stehen immer in derselben Reihenfolge.

MEMO

Zu jedem Abschnitt gibt es immer entweder eine Aufgabe oder keine.

Übung 8

a **Vergleichen Sie Aufgabe 9 und die folgende Textstelle. Unterstreichen Sie die Schlüsselwörter, die im Text und in der Aufgabe gleich oder ähnlich sind.**

> **9** Die Mädchen dürfen über die Gestaltung ihrer Zimmer selbst entscheiden.

> Stattdessen lernen die Mädchen anhand von Dingen, die sie selbst interessieren. Wer einen Hasenstall bauen möchte, muss im Internet recherchieren und die Kosten für das Material errechnen. Wer sein Zimmer gestaltet, muss ausrechnen, wie viel Farbe man für die Wände braucht.

b **Ergänzen Sie folgende Aussage.**

In diesem Abschnitt geht es zwar darum, wie die Mädchen ihr Zimmer gestalten können und was sie dabei berücksichtigen müssen. In dem Text wird aber nicht gesagt, dass sie das selbst entscheiden können. Es wird auch __________ gesagt, dass sie das (nicht) ____________________.
Zu dieser Aussage steht nichts im Text.

Die Textstelle hat zwar einen deutlichen Bezug zur Aussage, was man an den wörtlichen Übereinstimmungen erkennt: „Mädchen", „Zimmer", „gestalten"; aber die Aussage wird weder bestätigt (dann wäre sie richtig), noch wird das Gegenteil gesagt (dann wäre die Aussage falsch).

Übung 9

a **Vergleichen Sie Aufgabe 11 und die folgende Textstelle. Unterstreichen Sie die Schlüsselwörter, die im Text und in der Aufgabe gleich oder ähnlich sind.**

> **11** Wenn die Mädchen wieder Vertrauen zu sich selbst haben, können sie in ihre Familien zurückkehren.

> Wenn sie ihre Unsicherheit überwunden und wieder genügend Selbstvertrauen gewonnen haben, wechseln sie in den regulären Vormittagsunterricht. Manche gehen später sogar aufs Gymnasium. „Wir geben ihnen einfach die Lernzeit, die sie brauchen", sagt die Leiterin der Schule.

b Kreuzen Sie die richtige Lösung an und begründen Sie Ihre Entscheidung in eigenen Worten.

A ☐ richtig B ☐ falsch C ☐ der Text sagt nichts dazu

Übung 10

Gehen Sie zum Übungstest auf Seite 17 und bearbeiten Sie alle Aufgaben wie in Schritt 3 beschrieben.

Wenn Sie alle Aufgaben durchgearbeitet haben, bearbeiten Sie noch einmal die Aufgaben, bei denen Sie vielleicht ein Fragezeichen gemacht haben. Manchmal ist es leichter, eine Aufgabe zu lösen, wenn Sie den ganzen Text gelesen haben.

Schritt 4: Überprüfen Sie Ihre Lösungen.

- Kontrollieren Sie noch einmal alle Textstellen und Aussagen der Reihe nach. Vergleichen Sie dabei die Informationen im Text genau mit den Aussagen.
- Denken Sie daran: Zu jedem Abschnitt gibt es immer entweder eine Aussage oder keine.
- Achten Sie darauf, dass Sie bei allen Aufgaben nur jeweils ein Kreuz gemacht haben.

Teil 3

Aufgabe jetzt noch nicht lösen, erst das Basistraining bearbeiten!

Alte Werte für eine moderne Gesellschaft

Sie finden unten einen Lesetext. Dieser Text hat fünf Lücken (Aufgaben 13–17).

Setzen Sie aus der Satzliste (A–G) den richtigen Satz in jede Lücke ein.

Zwei Sätze bleiben übrig.

Als Erstes lesen Sie ein Beispiel. Das Beispiel (0) hat die Lösung Z.

Kaum eine Sportart ist von der Doping-Problematik nicht betroffen. Pünktlich zu jedem bestätigten Doping-Fall oder zu neuen Doping-Spekulationen treten Zyniker in den Vordergrund und fordern die Freigabe der verbotenen Substanzen und Methoden.

Die Pro-Doper sehen sich als die Heilsbringer des modernen Profisports: Glauben sie doch, auf diese Weise Chancengleichheit herzustellen. Oft wird sich auf das internationale Missverhältnis im Anti-Doping-Kampf berufen. Nach dem Prinzip: (0) __Z__ Die Schlussfolgerung sollte allerdings nicht die vollständige Freigabe, sondern die Koordinierung eines weltweiten effektiven Systems sein. Ein langer und beschwerlicher Weg. Wer ihn aber nicht gewillt ist zu gehen, der kapituliert vor dem Verbrechen.

Dass der Sportler selbst nach einer Freigabe ruft, ist noch am verständlichsten. Der (saubere) Athlet trainiert tagtäglich, Stunde um Stunde, um dann im Wettkampf doch keine Chance gegen vollgepumpte Muskelberge zu haben. (13) _____. Schließlich muss er seinen Lebensunterhalt mit dem Profisport bestreiten können.

In dieser Situation hat die Gesellschaft die Aufgabe, den Sportler vor sich selbst zu schützen. Wie es der moderne Rechtsstaat mit jedem Gesetz macht. Sei es mit einem Tempolimit, der Anschnallpflicht oder dem Waffengesetz. (14) _____. Wie weit die Regulierung von oben gehen darf, muss in einem gesellschaftlichen Diskurs entschieden werden.

Gern wird zusätzlich auf die Selbstbestimmung des einzelnen Sportlers verwiesen und der Anti-Doping-Kampf als Eingriff in die persönliche Freiheit empfunden. In der Tat wären die Selbstbestimmung und die Entscheidungsfreiheit Argumente, die greifen würden, sofern das Handeln nur für den Sportler alleine Konsequenzen hätte. Aber das hat es nicht. (15) _____. Das Kopieren der Doping-Mentalität hätte für jeden jungen Nachwuchssportler nicht abschätzbare gesundheitliche Folgen. Eltern könnten ihren Nachwuchs nicht mehr ohne Bedenken zum Training schicken.

Doping bleibt, egal wie gut die wissenschaftliche Begleitung aussieht, ein Spiel mit dem Tod. Die Erfahrungen aus dem Doping-System der DDR und dem Doping-Schauspiel im Radsport sollten uns Warnung genug sein: Der Puls setzt aus. Blut fließt zäh wie Kaugummi durch die Adern. Organe müssen transplantiert werden, weil Tabletten ihre Funktion unterdrückt haben. Menschen sterben. (16) ______.

Betrogen und gelogen wird überall: Egal ob es Banker, Politiker oder Autoverkäufer sind. Die professionelle Körperertüchtigung stellt keine Ausnahme dar: Im Sport wurde immer gedopt und wird immer gedopt werden. (17) ______. Die Konsequenz daraus darf aber nicht sein, eine ärztlich begleitete und von den Verbänden legitimierte Menschenzucht zu veranstalten, sondern Doping noch härter zu verfolgen. Warum? Weil es richtig ist. Weil es anständig ist. Weil ein sauberer Sport unsere auf dem Humanismus basierende Gesellschaftsform symbolisiert.

Z	Wenn die in einem anderen Land dopen, dürfen wir das auch!
A	Frustrierend, da liegt der Griff in die Wunderkisten der Medizin nahe.
B	Deswegen ist Doping zwar keine sauberere Lösung, aber leider unvermeidlich und legitim.
C	Eine komplette Freigabe würde das Wett-Dopen in lebensbedrohliche Bereiche noch verstärken.
D	Wo der Mensch dazu neigt, sich (und andere!) Gefahren auszusetzen, hat der Staat die Aufgabe einzugreifen.
E	Nur so kann sichergestellt werden, dass die Sportler auch in Zukunft hervorragende Leistungen erbringen können.
F	Sportler sind Vorbilder und ihr Verhalten wird von Kindern und Jugendlichen kopiert.
G	Sport komplett ohne Doping ist eine – wenn auch wünschenswerte – Illusion.

Leseverstehen Teil 3: Basistraining

In diesem Prüfungsteil müssen Sie fünf Sätze an der richtigen Stelle in einen Text einsetzen. Zur Auswahl stehen sieben Sätze (A–G), zwei Sätze bleiben übrig.

Schritt 1: Verschaffen Sie sich einen ersten Eindruck vom Text.

Lesen Sie die Überschrift und den Text bis zur ersten Lücke (0). Setzen Sie dort das Beispiel (Z) ein. Die erste Lücke befindet sich fast immer im ersten Abschnitt. Lesen Sie dann den Abschnitt bis zum Ende.

Nachdem Sie den Abschnitt gelesen und das Beispiel eingefügt haben, wissen Sie ungefähr, worum es im Text geht.

MEMO

Überschrift und Text bis zur ersten Lücke (0) lesen.

Übung 1

a Lesen Sie die Überschrift und den ersten Teil des Textes mit dem Beispielsatz.

Alte Werte für eine moderne Gesellschaft

Kaum eine Sportart ist von der Doping-Problematik nicht betroffen. Pünktlich zu jedem bestätigten Doping-Fall oder zu neuen Doping-Spekulationen treten Zyniker in den Vordergrund und fordern die Freigabe der verbotenen Substanzen und Methoden.
Die Pro-Doper sehen sich als die Heilsbringer des modernen Profisports: Glauben sie doch, auf diese Weise Chancengleichheit herzustellen. Oft wird sich auf das internationale Missverhältnis im Anti-Doping-Kampf berufen. Nach dem Prinzip: (0) __Z__ Die Schlussfolgerung sollte allerdings nicht die vollständige Freigabe, sondern die Koordinierung eines weltweiten effektiven Systems sein. Ein langer und beschwerlicher Weg. Wer ihn aber nicht gewillt ist zu gehen, der kapituliert vor dem Verbrechen.

b Worum geht es in dem Text wahrscheinlich? Kreuzen Sie an.

In diesem Text geht es wahrscheinlich um …

A ☐ die gesundheitlichen Gefahren des Dopings.
B ☐ die Freigabe von Doping im Sport.
C ☐ die Benachteiligung von Sportlern, die nicht dopen.
D ☐ eine effektivere Kontrolle des Dopings.

Schritt 2: Lesen Sie die Sätze (A–G) und markieren Sie Informationen, die sich (wahrscheinlich) auf den Text davor beziehen.

Alle Sätze, die Sie in den Text einfügen müssen, setzen den vorangehenden Text logisch fort und haben auch einen Bezug zum Inhalt des folgenden Textes. Bei vielen dieser Sätze gibt schon der Satzanfang einen Hinweis auf die logische Verbindung zum Text davor.

Bei anderen Sätzen sind es Informationen innerhalb des Satzes, die sich auf den Text davor beziehen.

Mit anderen Worten: An den Satzanfängen und/oder bestimmten Informationen im Satz können Sie häufig erkennen, worum es im Text davor wahrscheinlich geht, obwohl Sie den vorangehenden Text noch gar nicht kennen. Sie brauchen nur ein bisschen Übung.

MEMO

Manchmal gibt schon der Satzanfang einen Hinweis auf den Text davor.

MEMO

Manchmal beziehen sich Informationen im Satz auf den Text davor.

Übung 2

a Lesen Sie alle Sätze und markieren Sie Satzanfänge und andere Informationen, die sich wahrscheinlich auf den Text davor beziehen.

A	Frustrierend, da liegt der Griff in die Wunderkisten der Medizin nahe.
B	Deswegen ist Doping zwar keine sauberere Lösung, aber leider unvermeidlich und legitim.
C	Eine komplette Freigabe würde das Wett-Dopen in lebensbedrohliche Bereiche noch verstärken.
D	Wo der Mensch dazu neigt, sich (und andere!) Gefahren auszusetzen, hat der Staat die Aufgabe einzugreifen.
E	Nur so kann sichergestellt werden, dass die Sportler auch in Zukunft hervorragende Leistungen erbringen können.
F	Sportler sind Vorbilder und ihr Verhalten wird von Kindern und Jugendlichen kopiert.
G	Sport komplett ohne Doping ist eine – wenn auch wünschenswerte – Illusion.

b Beschreiben Sie in Ihren Worten, worum es in dem Text davor wahrscheinlich geht.

	Im Text vor den Sätzen geht es wahrscheinlich um … / darum, dass …
A	... *etwas, was jemanden ärgert bzw. frustriert, vielleicht das Verbot von Doping.*
B	... *Gründe, warum (die Freigabe von) Doping keine gute Idee ist.*
C	
D	
E	
F	
G	

In der richtigen Prüfung haben Sie natürlich keine Zeit, Ihre Vermutungen so ausführlich zu formulieren. Aber es ist wichtig, dass Sie eine ungefähre Vorstellung von dem haben, was im Text vor den jeweiligen Sätzen wahrscheinlich steht, bevor Sie den Text lesen und passende Sätze einfügen.

Schritt 3: Lesen Sie den Text und finden Sie zu jeder Lücke den passenden Satz.

Nachdem Sie die Sätze kurz bearbeitet und Vermutungen über den Inhalt im Text davor angestellt haben, lesen Sie den Text langsam und genau bis zur ersten/nächsten Lücke. Beginnen Sie mit dem Lesen dort, wo Sie zuvor aufgehört haben. Markieren Sie Wörter und Ausdrücke, die Ihnen wichtig erscheinen.

MEMO
Immer nur bis zur nächsten Lücke lesen.

Zwischen dem Satz, den Sie einfügen müssen, und dem vorangehenden Text besteht immer eine sinnvolle inhaltliche Beziehung, die Sie erkennen müssen. Der einzufügende Satz kann viele Funktionen haben. Er kann das zuvor Gesagte ergänzen, seinen Inhalt präzisieren, ein Beispiel enthalten oder zu einer Schlussfolgerung führen. Diesen Zusammenhang müssen Sie erkennen.

MEMO
Wichtige Informationen markieren und das Thema in diesem Abschnitt erkennen.

Übung 3

a Lesen Sie den nächsten Abschnitt bis zur Lücke und markieren Sie wichtige Informationen.

> Dass der Sportler selbst nach einer Freigabe ruft, ist noch am verständlichsten. Der (saubere) Athlet trainiert tagtäglich, Stunde um Stunde, um dann im Wettkampf doch keine Chance gegen vollgepumpte Muskelberge zu haben. (13) ______.

b Worum geht es in dem Abschnitt? Kreuzen Sie an.

In diesem Abschnitt geht es darum, dass …

A ☐ saubere Athleten durch Doping benachteiligt werden.
B ☐ Athleten, die dopen, sehr viel Geld verdienen.
C ☐ Doping mit gesundheitlichen Risiken verbunden ist.
D ☐ selbst saubere Athleten eine Freigabe von Doping fordern.

Lesen Sie dann noch einmal die Aufgaben (A–G). Vergleichen Sie dabei die markierten Informationen im Text mit den markierten Informationen in den Sätzen. Achten Sie dabei vor allem auf die Satzanfänge.

MEMO
Wichtige Informationen im Text mit den markierten Informationen im Satz vergleichen.

Wenn Sie einen Satz gefunden haben, der inhaltlich passen könnte, machen Sie ein Kreuz bei dieser Aufgabe.

Lesen Sie noch einmal den Text direkt vor der Lücke und den eingefügten Satz im Zusammenhang. Lesen Sie leise für sich, so dass sie den Text auch hören. Achten Sie dabei auf die Logik der gesamten Aussage. Fragen Sie sich:

- Gibt es einen logischen Zusammenhang zwischen dem Satzanfang oder anderen Informationen im Satz und dem, was im Text davor gesagt wird?
- Schließt der eingefügte Satz sinnvoll an das an, was im Text davor gesagt wird? Passt der ganze Satz in die Lücke oder nur der Satzanfang?

Übung 4

Fügen Sie den Satz aus Aufgabe A in Lücke 13 ein und kreuzen Sie an.

1. Meine Vermutungen aus Übung 2 b passen zum Text. ☐ ja ☐ nein
2. Der ganze Satz passt zu dem Text davor. ☐ ja ☐ nein

Wenn Sie ganz sicher sind, dass der Satz passt, schreiben Sie den Buchstaben der Aufgabe in die Lücke und streichen Sie den Satz durch.

> **MEMO**
> *Sätze, die passen, durchstreichen.*

Wenn Sie sich vergewissern wollen, ob Ihre Entscheidung richtig ist, lesen Sie weiter im Text und achten Sie darauf, ob auch der nachfolgende Satz/Text inhaltlich und sprachlich zu dem eingefügten Satz passt.

> **MEMO**
> *Auch der Satz/Text nach einer Lücke muss zu dem eingefügten Satz passen.*

Mit anderen Worten, sowohl der Text vor der Lücke als auch der Text nach der Lücke sind wichtig.

Übung 5

a Lesen Sie den eingefügten Satz und den folgenden Satz im Zusammenhang. Klären Sie zuvor die Bedeutung von „schließlich" mithilfe eines Lexikons.

> (13) Frustrierend, da liegt der Griff in die Wunderkisten der Medizin nahe. Schließlich muss er seinen Lebensunterhalt mit dem Profisport bestreiten können.

b Erklären Sie in ihren Worten, warum Satz A in diese Lücke passt.

Wenn Sie noch immer unsicher sind, machen Sie ein Fragezeichen neben der Lücke im Text und schreiben Sie die Nummer der Lücke neben den Satz.

> **MEMO**
> *Bei Zweifeln Nummer der Lücke neben den Satz schreiben und ein Fragezeichen machen.*

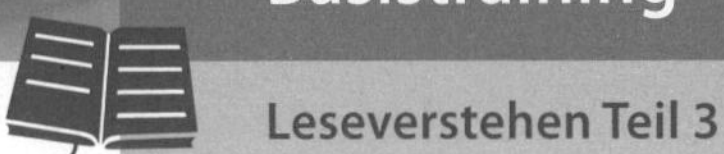

Wie Sie bereits wissen, können Sie bei vielen Sätzen bereits an den Satzanfängen erkennen, ob der Satz in eine Lücke passt. Häufig sind es Adverbien oder Konjunktionen, die eine logische Verbindung zu dem vorher Gesagten herstellen, zum Beispiel: *deswegen, deshalb, weil, dort …*

Oft sind es aber auch Informationen innerhalb des Satzes, die in einer Beziehung zu dem stehen, was zuvor gesagt wird.

Übung 6

a **Markieren Sie die wichtigen Informationen in dem folgenden Textabschnitt und notieren Sie, worum es in dem Abschnitt geht.**

Doping bleibt, egal wie gut die wissenschaftliche Begleitung aussieht, ein Spiel mit dem Tod. Die Erfahrungen aus dem Doping-System der DDR und dem Doping-Schauspiel im Radsport sollten uns Warnung genug sein: Der Puls setzt aus. Blut fließt zäh wie Kaugummi durch die Adern. Organe müssen transplantiert werden, weil Tabletten ihre Funktion unterdrückt haben. Menschen sterben. (16) ______.

In diesem Abschnitt geht es um … / darum, dass … ____________________

____

b **Markieren Sie in folgendem Satz Wörter/Ausdrücke, die eine inhaltliche Beziehung zum Text davor haben.**

B Deswegen ist Doping zwar keine sauberere Lösung, aber leider unvermeidlich und legitim.

c **Begründen Sie in Ihren Worten, warum B trotzdem nicht in die Lücke passt.**

Die Lösung der letzten Aufgabe zeigt, dass ein passender Satzanfang nicht unbedingt beweist, dass der ganze Satz wirklich in die Lücke passt. Ein passender Satzanfang kann auch in eine falsche Richtung führen.

MEMO
Ein passender Satzanfang kann in die Irre führen.

Sie müssen also auch bei einem passenden Satzanfang weiterlesen und genau überprüfen, ob der ganze Satz zu dem vorangehenden Text passt. Und wie Satz B zeigt, kann zwar der Satzanfang passen, aber der Rest des Satzes nicht. Mit anderen Worten: Der ganze Satz muss in die Lücke passen.

Übung 7

Markieren Sie in Satz C und im Text Informationen, die sich inhaltlich aufeinander beziehen.

C Eine komplette Freigabe würde das Wett-Dopen in lebensbedrohliche Bereiche noch verstärken.

Doping bleibt, egal wie gut die wissenschaftliche Begleitung aussieht, ein Spiel mit dem Tod. Die Erfahrungen aus dem Doping-System der DDR und dem Doping-Schauspiel im Radsport sollten uns Warnung genug sein: Der Puls setzt aus. Blut fließt zäh wie Kaugummi durch die Adern. Organe müssen transplantiert werden, weil Tabletten ihre Funktion unterdrückt haben. Menschen sterben. (16) ______.

b Begründen Sie in Ihren Worten, warum Satz C in die Lücke passt.

In Satz B (Übung 6) hat der Satzanfang in eine falsche Richtung geführt. Natürlich können aber auch andere Wörter/Ausdrücke in dem einzufügenden Satz in die Irre führen. Deswegen entscheidet letztlich immer der logische Zusammenhang, ob ein Satz passt oder nicht.

MEMO

Ob ein Satz passt, entscheidet letztlich der Kontext.

Übung 8

a Lesen Sie folgenden Abschnitt aus dem Text. Markieren Sie die wichtigen Informationen und notieren Sie, worum es in diesem Abschnitt geht.

In dieser Situation hat die Gesellschaft die Aufgabe, den Sportler vor sich selbst zu schützen. Wie es der moderne Rechtsstaat mit jedem Gesetz macht. Sei es mit einem Tempolimit, der Anschnallpflicht oder dem Waffengesetz. (14) ______.

b Markieren Sie in den beiden folgenden Sätzen Informationen, die sich auf den Text davor beziehen.

D	Wo der Mensch dazu neigt, sich (und andere!) Gefahren auszusetzen, hat der Staat die Aufgabe einzugreifen.
E	Nur so kann sichergestellt werden, dass die Sportler auch in Zukunft hervorragende Leistungen erbringen können.

c **Beschreiben Sie in Ihren Worten, warum Satz E nicht in die Lücke passt.**

d **Begründen Sie in Ihren Worten, warum Satz D in die Lücke passt.**

Wenn Sie sich für einen Satz entschieden haben, lesen Sie den Abschnitt zu Ende. Achten Sie darauf, dass auch der Text nach der Lücke zu dem Inhalt des eingefügten Satzes passt. Wenn das nicht der Fall ist, müssen Sie den eingefügten Satz noch einmal überprüfen. Entweder Sie haben einen Satz eingesetzt, der in eine andere Lücke gehört oder Sie haben einen Satz verwendet, der in keine Lücke passt. Am besten ist es in dieser Situation, wenn Sie den Buchstaben in der Lücke durchstreichen und die entsprechende Aufgabe mit einem Fragezeichen versehen. Lassen Sie sich von dieser Unsicherheit nicht aus der Ruhe bringen und lesen Sie langsam im Text weiter. Sehr wahrscheinlich werden Sie die folgenden Lücken richtig füllen und können danach leichter entscheiden, welcher der Sätze, die übrig bleiben, in die Lücke mit Fragezeichen passt.

Übung 9

Gehen Sie nun zum Übungstest auf Seite 26 und bearbeiten Sie die übrigen Aufgaben wie in Schritt 3 beschrieben.

Schritt 4: Kontrollieren Sie Ihre Lösungen.

Wenn Sie alle Lücken gefüllt haben, sollten Sie Ihr Ergebnis überprüfen.

Lesen Sie dazu noch einmal den ganzen Text langsam und leise für sich. Hören Sie in sich hinein und achten Sie dabei auf Folgendes:

- Hört sich alles richtig an? Sind die Satzanfänge logisch?
- Stimmt die Bedeutung des Textes? Passen die eingefügten Sätze zum Thema des Abschnitts?
- Haben Sie jeden Buchstaben nur einmal verwendet?
- Haben Sie alle Lücken gefüllt?

Teil 4

Aufgabe jetzt noch nicht lösen, erst das Basistraining bearbeiten!

Das neue Wirtschaftswachstum

Lesen Sie den Text und die Aufgaben 18 – 24.

Kreuzen Sie bei jeder Aufgabe die richtige Lösung an.

In der heutigen Wirtschaftsordnung sind Unternehmen eigentlich auf Wachstum angewiesen, nicht nur die großen wie Mercedes und Porsche, auch die kleinen. Sie müssen jedes Jahr größere Gewinne machen, damit sie Kredite abzahlen und Entlassungen vermeiden können, obwohl sie eigentlich durch den technischen Fortschritt dieselbe Menge von Produkten mit immer weniger Mitarbeitern herstellen könnten.

Seit einiger Zeit gibt es erste Wissenschaftler, die über eine neue Art von Wirtschaftswachstum nachdenken. Sie lehnen das bisherige, möglichst ungebremste Wachstum ab und setzen auf Verbesserungen bei Qualität, Effizienz und Service und ein niedriges Wachstum oder gar ein Null-Wachstum.

Und tatsächlich, bei einigen Leuten mit praktischer Erfahrung wie zum Beispiel Susanne Henkel, der Geschäftsführerin eines bekannten Möbelherstellers, lassen sich erste Prinzipien der neuen Art von Wirtschaftswachstum erkennen. Frau Henkel gehört zu den wenigen Unternehmern, die schon heute auf ein möglichst hohes Wachstum verzichten. Deswegen gefällt ihr die Bilanz des vergangenen Jahres gar nicht. Um 18 bis 19 Prozent sei der Umsatz gewachsen. „Das ist viel zu viel", sagt die Unternehmerin in einem Interview mit dem Magazin „Der Spiegel". In diesem Jahr seien nur fünf bis sechs Prozent zu erwarten. Das sei doch eine tolle Zahl und ganz normal! An einer weiteren Expansion des Unternehmens ist die Geschäftsführerin nicht interessiert und meint, dass Wachstum nicht mehr das richtige Ziel für sie sei.

Die Einstellung von Frau Henkels passt in unsere Zeit, überraschend ist sie trotzdem. Einerseits wird die Idee des grenzenlosen Wirtschaftswachstums immer häufiger von Bürgern und Medien kritisiert und Politiker und Experten suchen nach alternativen Zielen, andererseits ist kaum zu beobachten, dass Unternehmer freiwillig ihr Wachstum begrenzen. Und auch an den Universitäten kommt die neue Art von Wirtschaftwachstum bisher kaum vor. Umso mehr Aufsehen erregte der grüne Ministerpräsident von Baden-Württemberg, als er kurz nach seiner Wahl verkündete: „Weniger Autos sind natürlich besser als mehr." – Und das ausgerechnet im Heimatland von Mercedes und Porsche.

Nicht jeder findet die Ideen der neuen Wirtschaftswissenschaftler und einiger Politiker richtig. Schließlich ist das möglichst unbehinderte Streben nach Wachstum ein Grundprinzip der Marktwirtschaft. Wo es eingeschränkt wird, fürchten die traditionellen Ökonomen nicht nur um den Wohlstand. Sie sorgen sich auch um Innovationen, die Unternehmen im Wettstreit miteinander hervorbringen. Die neuen Ökonomen sind anderer Meinung. Sie sagen, dass sich die Wirtschaft in den westlichen Ländern so oder so ändern wird – schon weil durch den Wandel in der Bevölkerungsstruktur die Zahl von Produzenten und Konsumenten zurückgeht.

Susanne Henkel spürt das bereits heute. Selbst wenn sie expandieren wollte, hätte sie große Probleme. Die Arbeitslosigkeit in ihrer Region liegt bei nur drei Prozent. Sie wüsste also gar nicht, wo sie in dieser Situation kompetente Leute für die Erweiterung ihres Unternehmens finden sollte.

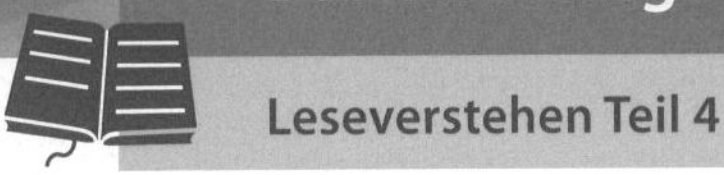

Tatsächlich setzt die Unternehmerin durchaus auf Wachstum, jedoch auf ein qualitatives: Es geht ihr nicht mehr darum, dass die Gewinne durch immer höhere Verkaufszahlen entstehen, sondern dass die Gewinne steigen, weil die Qualität der Produkte verbessert wird und dadurch höhere Preise gerechtfertigt sind. Das heißt, die Kunden bekommen für mehr Geld mehr Qualität, eine bessere Technik und einen besseren Service. Das Serviceangebot scheint die Kunden zu überzeugen, denn Frau Henkel hat es damit geschafft, den Gewinn zu steigern, obwohl sie wegen des höheren Preises weniger Liegestühle verkauft. So bietet die Firma von Frau Henkel den Kunden zu jedem Liegestuhl lebenslang Reparaturen an, inklusive einer Erneuerung der Stoffbespannung und einer neuen Lackierung des Liegestuhls nach einigen Jahren. So etwas ist heute nicht selbstverständlich. Heutzutage trauen sich viele Kunden nach einigen Jahren kaum, nach Ersatzteilen zu fragen. Aber bei der Firma von Frau Henkel ist das anders. Auch nach vielen Jahren gibt es alle Ersatzteile und eine vollständige Überarbeitung des Liegestuhls. Dafür müssen die Kunden beim Kauf aber auch deutlich mehr bezahlen.

Reparieren, statt neu zu kaufen. Auch andere Firmen haben inzwischen erkannt, dass das in unserer Wegwerfgesellschaft ein überzeugendes Verkaufsangebot sein kann. Ein bekannter Hersteller von Freizeitartikeln bietet seinen Kunden einen Vertrag an, in dem das Unternehmen besonders hochwertige Produkte und einen umfassenden Service verspricht. Beim Kauf muss der Kunde seinerseits in einem Vertrag versprechen, dieses Produkt immer bei dieser Firma reparieren zu lassen und nur dann etwas neu zu kaufen, wenn er wirklich etwas Neues braucht. „Kaufen Sie diese Jacke nicht!", lautet der erfolgreiche Werbespruch dieser Firma.

Solche Werbesprüche funktionieren natürlich nur bei Firmen, die über passende Produkte verfügen und die richtige, also eine konsumkritische Kundschaft haben. Die Frage ist, ob dies auch ein Modell für eine ganze Volkswirtschaft sein kann – vor allem in einem Land wie Deutschland, das seinen Wohlstand zum großen Teil immer noch der Industrie verdankt.

Aufgaben 18 – 24

Kreuzen Sie die richtige Lösung an.

18 Die Unternehmen brauchen heutzutage Wachstum, weil sie

A ☐ mehr Mitarbeiter einstellen müssen.

B ☐ mit weniger Mitarbeitern produzieren müssen.

C ☐ ihre Schulden abzahlen müssen.

19 Die Geschäftsführerin eines Möbelherstellers

A ☐ hält ein Wachstum von 18 bis 19 Prozent für optimal.

B ☐ ist mit einem Wachstum von fünf bis sechs Prozent zufrieden.

C ☐ plant ein größeres Wachstum für das nächste Jahr.

20 Die Idee des grenzenlosen Wachstums wird

A ☐ vom Ministerpräsidenten in Baden-Württemberg vertreten.

B ☐ in der Wissenschaft kaum gelehrt.

C ☐ in der Öffentlichkeit zunehmend infrage gestellt.

21 Die neuen Ökonomen sind der Meinung, dass

A ☐ sich unser Wirtschaftssystem auf alle Fälle ändern wird.

B ☐ das Streben nach Wachstum nicht behindert werden darf.

C ☐ unser Wohlstand vom Wettstreit der Unternehmen abhängt.

22 Das Unternehmen von Frau Henkel

A ☐ möchte die Produkt- und Servicequalität weiter erhöhen.

B ☐ kann trotz des höheren Preises mehr Produkte verkaufen.

C ☐ muss für seine Serviceleistungen deutlich mehr bezahlen.

23 Ein Hersteller von Freizeitartikeln hat durch

A ☐ seine ungewöhnliche Werbung neue Kunden gewonnen.

B ☐ seinen besonderen Service neue Kunden gewonnen.

C ☐ seine guten Reparaturleistungen neue Kunden gewonnen.

---

24 In diesem Artikel

A ☐ wird die bestehende Wirtschaftsordnung ausführlich erklärt.

B ☐ werden Merkmale einer neuen Wirtschaftsordnung besprochen.

C ☐ wird die Wirtschaftstheorie der neuen Ökonomen kritisiert.

Leseverstehen Teil 4: Basistraining

In den Aufgaben 18 – 24 gibt es jeweils drei Aussagen zu bestimmten Stellen im Text. Sie müssen die richtige Aussage finden. In Aufgabe 24 müssen Sie herausfinden, welche von drei Aussagen zum gesamten Text passt.

Manchmal sind die Aufgaben auch als Fragen formuliert, und Sie müssen unter drei Auswahlantworten die richtige wählen.

Schritt 1: Verschaffen Sie sich einen ersten Eindruck vom Text.

Lesen Sie die Überschrift und die beiden ersten Abschnitte des Textes. Manchmal reicht auch der erste Abschnitt. Dieses orientierende Lesen verschafft einen ersten Eindruck vom Inhalt des gesamten Textes. Wenn Sie genügend Zeit haben oder nicht sicher sind, worum es im Text geht, können Sie auch den Schluss kurz überfliegen. Aber halten Sie sich nicht zu lange mit dem ersten Schritt auf.

MEMO

Die beiden ersten Abschnitte des Textes lesen. Schluss kurz überfliegen.

Übung 1

Lesen Sie die Überschrift und die beiden ersten Abschnitte des Textes. Worum geht es in dem Text wahrscheinlich? Kreuzen Sie an.

Das neue Wirtschaftswachstum

In der heutigen Wirtschaftsordnung sind Unternehmen eigentlich auf Wachstum angewiesen, nicht nur die großen wie Mercedes und Porsche, auch die kleinen. Sie müssen jedes Jahr größere Gewinne machen, damit sie Kredite abzahlen und Entlassungen vermeiden können, obwohl sie eigentlich durch den technischen Fortschritt dieselbe Menge von Produkten mit immer weniger Mitarbeitern herstellen könnten.

Seit einiger Zeit gibt es erste Wissenschaftler, die über eine neue Art von Wirtschaftswachstum nachdenken. Sie lehnen das bisherige, möglichst ungebremste Wachstum ab und setzen auf Verbesserungen bei Qualität, Effizienz und Service und ein niedriges Wachstum oder gar ein Null-Wachstum.

In diesem Text geht es wahrscheinlich um …

A ☐ eine Verbesserung der Qualität und Effizienz unserer Wirtschaft.

B ☐ die Bedeutung des Wirtschaftswachstums für unsere Gesellschaft.

C ☐ die wirtschaftlichen Probleme von großen und kleinen Firmen.

D ☐ eine neue Art von Wirtschaftswachstum.

In diesem Beispiel zeigt schon die Überschrift, dass es im Text um eine neue Art des Wirtschaftswachstums geht. Aus dem zweiten Absatz geht hervor, dass es nicht um eine Verbesserung von Qualität und Effizienz unsere Wirtschaft geht und auch nicht um besondere wirtschaftliche Probleme, sondern um eine neue Art von Wirtschaftswachstum. Wir erfahren auch, dass das neue Wachstum sehr niedrig sein soll, und können erwarten, dass wir dazu im folgenden Text weitere Informationen bekommen werden.

Schritt 2: Markieren Sie die wichtigen Informationen in den Satzanfängen der Aufgaben 18–23.

In Schritt 2–4 geht es nur um die Aufgaben 18–23. Was bei Aufgabe 24 zu tun ist, erfahren Sie in Schritt 5.

Die Aufgaben 18–23 bestehen jeweils aus einem Satz, der auf drei verschiedene Arten endet (A, B, C). Um die passenden Stellen im Text zu finden, reicht es meistens, sich auf die wichtigen Informationen im Satzanfang zu konzentrieren und diese zu markieren.

MEMO

Die Satzanfänge reichen, um die passenden Textstellen zu finden.

Übung 2

Markieren Sie im Satzanfang in Aufgabe 18 die wichtigen Informationen.

18 Die Unternehmen brauchen heutzutage Wachstum, weil sie

A ☐ mehr Mitarbeiter einstellen müssen.

B ☐ mit weniger Mitarbeitern produzieren müssen.

C ☐ ihre Schulden abzahlen müssen.

Übung 3

Gehen Sie zum Übungstest auf Seite 37 und markieren Sie die wichtigen Informationen in den Satzanfängen der Aufgaben 19–23.

Nachdem Sie die wichtigen Informationen in den Satzanfängen unterstrichen haben, müssen Sie die passenden Textstellen finden. Erst danach, also in Schritt 4, werden Sie entscheiden, welches der drei Satzenden richtig ist.

Schritt 3: Finden Sie die passende Textstelle zu den Aufgaben 18–23.

Um die passende Textstelle zu finden, schauen Sie sich noch einmal den Satzanfang in der ersten Aufgabe an. Merken Sie sich die wichtigen Informationen und lesen Sie dann den Text. Lesen Sie den Text aufmerksam durch, bis Sie ein Schlüsselwort oder einen ähnlichen Ausdruck wie in der ersten Aufgabe finden. Notieren Sie neben dem Abschnitt die Nummer der Aufgabe.

MEMO

Nummer der Aufgabe neben die passende Textstelle schreiben.

Übung 4

a **Schauen Sie sich noch einmal den Satzanfang von Aufgabe 18 an (Übung 2) und erinnern Sie sich an die wichtigen Informationen.**

b **Lesen Sie dann den Text von Anfang an und unterstreichen Sie die Stellen im Text, die mit den wichtigen Informationen im Satzanfang von Aufgabe 18 übereinstimmen.**

> **Das neue Wirtschaftswachstum**
>
> In der heutigen Wirtschaftsordnung sind Unternehmen eigentlich auf Wachstum angewiesen, nicht nur die großen wie Mercedes und Porsche, auch die kleinen. Sie müssen jedes Jahr größere Gewinne machen, damit sie Kredite abzahlen und Entlassungen vermeiden können, obwohl sie eigentlich durch den technischen Fortschritt dieselbe Menge von Produkten mit immer weniger Mitarbeitern herstellen könnten.

Bei der ersten Aufgabe in diesem Prüfungsteil ist es sehr einfach, die passende Textstelle zu finden. Es muss immer der erste oder der zweite Abschnitt des Textes sein, denn die Aufgaben und die Textstellen erscheinen in derselben Reihenfolge.

MEMO
Aufgaben und Textstellen kommen immer in derselben Reihenfolge.

Nachdem Sie die erste Textstelle gefunden haben, schreiben Sie die Nummer der Aufgabe neben die Textstelle. Danach müssen Sie Schritt 3 so lange wiederholen, bis Sie zu allen Aufgaben die passenden Textstellen gefunden haben.

Wenn Sie bei einer Textstelle nicht ganz sicher sind, schreiben Sie neben den Abschnitt die Nummer der Aufgabe und ein Fragezeichen. Dann geht es später schneller, wenn Sie diese Aufgaben noch einmal bearbeiten.

MEMO
Bei Unsicherheit Nummer mit Fragezeichen neben den Textabschnitt schreiben.

Übung 5

Gehen Sie zum Übungstest auf Seite 35 und suchen Sie die Textstellen für die Aufgaben 19 und 20 wie in Schritt 3 beschrieben.

Wahrscheinlich haben Sie schnell erkannt, dass es zum zweiten Abschnitt im Text keine Aufgabe gibt und dass sich die folgenden Abschnitte in der Reihenfolge, in der sie erscheinen, auf die Aufgaben 19 und 20 beziehen.

Es gibt aber eine Schwierigkeit bei der Zuordnung, auf die Sie achten müssen. Manchmal erscheinen Schlüsselbegriffe in aufeinanderfolgenden Abschnitten. So kommt der Schlüsselbegriff „Wachstum" aus Aufgabe 20 in drei aufeinanderfolgenden Abschnitten vor. Lassen Sie sich davon nicht verwirren. Diese Unsicherheit entsteht nur dann, wenn Sie nicht konsequent in Abschnitten arbeiten und im Text mehrere Abschnitte hintereinander lesen.

MEMO
In Abschnitten arbeiten, nie mehrere Abschnitte hintereinander lesen.

Denken Sie also daran: Wenn Sie eine Textstelle gefunden haben, die passt, lesen Sie den Satzanfang in der nächsten Aufgabe und merken Sie sich die wichtigen Informationen. Lesen Sie dann im Text dort weiter, wo Sie aufgehört haben.

Lesen Sie zunächst nur einen weiteren Abschnitt. Wenn Sie Übereinstimmungen mit Schlüsselbegriffen in der Aufgabe feststellen, markieren Sie die Textstelle mit der Nummer der Aufgabe. Bei Unsicherheit setzen Sie ein Fragezeichen daneben.

Wenn Sie sicher sind, dass es keine Übereinstimmung gibt, lesen Sie den Satzanfang in der Aufgabe noch einmal und dann den nächsten Textabschnitt. Vermeiden Sie es, mehrere Abschnitte hintereinander zu lesen, ohne noch einmal die wichtigen Informationen aus der Aufgabe gelesen zu haben, zu der Sie gerade die passende Textstelle suchen.

MEMO
Vor jedem Textabschnitt noch einmal die Informationen aus der Aufgabe nachlesen.

Übung 6

Gehen Sie zum Übungstest auf Seite 35 und suchen Sie die Textstellen für die Aufgaben 21–23 wie oben beschrieben.

Wie Sie sicher gesehen haben, ist es meistens nicht schwierig, die passenden Textstellen zu finden. Am sichersten ist die Zuordnung über Schlüsselwörter und ähnliche Ausdrücke in den Satzanfängen und in den Textabschnitten.

Schritt 4: Bestimmen Sie die richtige Aussage in den Aufgaben 18 – 23.

Wenn Sie alle Textstellen zu den Aufgaben 18 – 23 gefunden haben, müssen Sie herausfinden, welche der Aussagen unter A, B oder C richtig sind. Dazu müssen Sie jede Aufgabe genau mit der zugeordneten Textstelle vergleichen.

MEMO
Jede Aufgabe genau mit der zugeordneten Textstelle vergleichen.

Übung 7

a Lesen Sie zuerst den Satzanfang von Aufgabe 18 und die Fortsetzung des Satzes nach A.

18 Die Unternehmen brauchen heutzutage Wachstum, weil sie

A ☐ mehr Mitarbeiter einstellen müssen.

b Stimmt diese Aussage? Lesen Sie im Text nach und kreuzen Sie dann die richtige Antwort an.

Das neue Wirtschaftswachstum

In der heutigen Wirtschaftsordnung sind Unternehmen eigentlich auf Wachstum angewiesen, nicht nur die großen wie Mercedes und Porsche, auch die kleinen. Sie müssen jedes Jahr größere Gewinne machen, damit sie Kredite abzahlen und Entlassungen vermeiden können, obwohl sie eigentlich durch den technischen Fortschritt dieselbe Menge von Produkten mit immer weniger Mitarbeitern herstellen könnten.

☐ stimmt ☐ stimmt nicht

MEMO

Wenn Sie ganz sicher sind, sofort ein Kreuz machen.

Manchmal ist es ganz leicht und Sie sehen sofort, dass A stimmt. Machen Sie dann sofort ein Kreuz bei A. Wenn Sie aber keine Übereinstimmung mit dem Text finden, machen Sie mit Aussage B weiter.

Übung 8

a Lesen Sie noch einmal den Satzanfang und dazu die Fortsetzung nach B.

18 Die Unternehmen brauchen heutzutage Wachstum, weil sie

B ☐ mit weniger Mitarbeitern produzieren müssen.

b Stimmt die Aussage? Lesen Sie im Text nach (Übung 7 b) und kreuzen Sie die richtige Antwort an.

☐ stimmt ☐ stimmt nicht

Wenn Sie ganz sicher sind, dass B stimmt, machen Sie ein Kreuz bei B. Wenn es keine Übereinstimmung mit dem Text gibt, muss eigentlich C richtig sein. Bevor Sie jetzt aber ein Kreuz bei C machen, lesen Sie zur Kontrolle noch einmal den Satzanfang und die Fortsetzung unter C.

Übung 9

a Lesen Sie noch einmal den Satzanfang und dazu die Fortsetzung nach C.

18 Die Unternehmen brauchen heutzutage Wachstum, weil sie

C ☐ ihre Schulden abzahlen müssen.

b Stimmt das? Lesen Sie im Text nach (Übung 7 b) und kreuzen Sie die richtige Antwort an.

☐ stimmt ☐ stimmt nicht

Wenn Sie das Gefühl haben, dass auch C nicht stimmt, müssen Sie noch einmal konzentriert A, B und C durcharbeiten. Natürlich können Sie auch ein Fragezeichen am Rand machen und versuchen, die Aufgabe im zweiten Durchgang zu lösen. In der richtigen Prüfung müssen Sie dabei aber auch immer an die Zeit denken. Manchmal ist es nämlich besser, nur zu raten, als zu viel Zeit auf eine Aufgabe zu verwenden, die man nicht versteht.

MEMO
Nicht zu viel Zeit auf jede Aufgabe verwenden.

MEMO
Wenn Sie unsicher sind, ein Fragezeichen am Rand machen oder raten.

Aber hier im Basistraining können Sie sich so viel Zeit lassen wie nötig.

Übung 10

Gehen Sie zum Übungstest auf Seite 35 und bearbeiten Sie die Aufgaben 19 – 23 wie in Schritt 3 und 4 beschrieben.

Wenn Sie die Aufgaben durchgearbeitet haben, bearbeiten Sie noch einmal die Aufgaben, bei denen Sie sich nicht sicher waren und ein Fragezeichen gemacht haben. – Manchmal ist es leichter, eine Aufgabe zu lösen, wenn man inzwischen etwas anderes getan hat. Aber verwenden Sie in der Prüfung nicht zu viel Zeit auf diese Aufgaben, es geht immer nur um einen Punkt.

Schritt 5: Bestimmen Sie die richtige Aussage oder Überschrift in Aufgabe 24.

Die letzte Aufgabe, Aufgabe 24, kann sehr unterschiedlich gestellt sein. Entweder Sie müssen die richtige Überschrift zu dem ganzen Text bestimmen, oder Sie müssen herausfinden, was das Wichtigste am Text ist.

In beiden Fällen sollten Sie die Aufgabe zuerst lesen und dabei die wichtigen Wörter unterstreichen. Danach wissen Sie meistens schon, welche Aussage oder Überschrift richtig ist.

MEMO
Wichtige Wörter in der Aufgabe unterstreichen.

Wenn Sie noch unsicher sind, können Sie vor den Aussagen folgende Ergänzung einfügen:

In dem Text geht es NUR / VOR ALLEM um … / darum, dass …

MEMO
Folgende Ergänzung einfügen: Im Text geht es NUR / VOR ALLEM um … / darum, dass …

Übung 11

a **Lesen Sie Aufgabe 24 auf Seite 38 und unterstreichen Sie die wichtigen Wörter.**

b **Fügen Sie mündlich ein: ... NUR / VOR ALLEM ...**

c **Warum ist Aussage B richtig? Begründen Sie Ihre Entscheidung.**

Bei der letzten Aufgabe in diesem Prüfungsteil geht es immer um den Text als Ganzes und nicht um einen bestimmten Textabschnitt.

MEMO

In der letzten Aufgabe geht es immer um den Text als Ganzes, nicht um einen Abschnitt.

Schritt 6: Kontrollieren Sie Ihre Lösungen.

Wenn Sie genug Zeit haben, lesen Sie noch einmal alle Textstellen und Aufgaben und vergleichen Sie die Informationen im Text und in der angekreuzten Aussage miteinander.

Achten sie darauf, dass Sie bei jeder Aufgabe ein Kreuz gemacht haben.

Wenn Sie mit einer Aufgabe bis zum Schluss Probleme haben, raten Sie einfach. Die Wahrscheinlichkeit, dass Sie die richtige Lösung treffen, ist relativ groß – jedenfalls viel größer, als wenn Sie gar kein Kreuz machen.

Hörverstehen: Übersicht

Der Prüfungsteil *Hörverstehen* hat drei Teile. Der gesamte Prüfungsteil dauert ungefähr 35 Minuten. Danach haben Sie weitere 10 Minuten Zeit, um die Lösungen in das Antwortblatt einzutragen.

Die Prüfung wird auf die Sekunde genau durch eine CD gesteuert. Sie haben daher keine Möglichkeit, Teile der Prüfung vorzuziehen oder eigene Wege zu gehen. Wenn der Prüfungsbogen ausgeteilt ist, wird die CD gestartet und die Prüfung beginnt. Der Prüfer / Die Prüferin darf die CD nicht mehr anhalten, bis die Prüfung beendet ist.

Ein Sprecher / Eine Sprecherin auf der CD führt Sie durch die gesamte Prüfung.

Rückfragen während der Prüfung sind nicht erlaubt und auch nicht möglich.

Für alle drei Teile können Sie maximal 24 Punkte bekommen.

	Text	Aufgabentyp	Punkte	Zeit
Teil 1	Interview mit Partnern des gesellschaftlichen und beruflichen Lebens	Multiple-Choice-Aufgaben mit drei Optionen	8 Punkte	ungefähr 10 Minuten
Teil 2 A	vier kurze Meinungsäußerungen von vier verschiedenen Personen	Aufgaben mit Mehrfachzuordnung	4 Punkte	ungefähr 10 Minuten
Teil 2 B		Aufgaben mit Einfachzuordnung	4 Punkte	
Teil 3	monologischer, argumentierender Text mit umfangreichem Wortschatz und idiomatischen Wendungen	Multiple-Choice-Aufgaben mit drei Optionen	8 Punkte	ungefähr 15 Minuten

Um das Niveau B2 zu erreichen, brauchen Sie (in der Regel) mindestens 8 Punkte.
Um das Niveau C1 zu erreichen, brauchen Sie (in der Regel) mindestens 17 Punkte.

Teil 1

Aufgabe jetzt noch nicht lösen, erst das Basistraining bearbeiten!

Interview mit Nicolas Stemann

Nicolas Stemann ist ein bekannter Theaterregisseur, der gelegentlich auch als Musiker und Schauspieler auf der Bühne zu sehen ist.

Sie hören gleich das Interview. Lesen Sie jetzt die Aufgaben (1–8). Sie haben dafür zwei Minuten Zeit.

Kreuzen Sie beim Hören bei jeder Aufgabe die richtige Lösung an.

Sie hören das Interview **einmal**.

1 Nicolas Stemann ist ein Theaterregisseur, der

A ☐ die Proben gemeinsam mit den Schauspielern vorbereitet.

B ☒ die Schauspieler an der Entwicklung seiner Inszenierung beteiligt.

C ☐ die kollektive Arbeit im Theater grundsätzlich infrage stellt.

2 Nicolaus Stemann ist ein Mensch, der

A ☐ richtig glücklich ist.

B ☒ sehr begabt ist.

C ☐ schnell entscheidet.

3 Auch Außenstehende können sehen, dass Stemann

A ☐ manchmal die falschen Schauspieler auswählt.

B ☐ an manchen Theaterstücken scheitert.

C ☒ trotz mancher Probleme gutes Theater macht.

4 Stemanns persönliches Problem hat damit zu tun, dass

A ☐ er mit seiner Mutter oft umziehen musste. Mutter -oft Schule gewechselt

B ☒ ihn seine Mutter stark beeinflusst hat.

C ☐ der Unterricht in der Schule schlecht war.

5 Stemann hat erst als Erwachsener erkannt, dass es

A ☐ wichtig ist, gut gekleidet zu sein.

B ☐ schwierig ist, den richtigen Beruf zu wählen.

C ☒ falsch ist, an sich selbst zu zweifeln.

6 Stemann hat beim Theater angefangen, weil er

A ☐ gut musizieren und schreiben konnte.

B ☒ viele unterschiedlichen Fähigkeiten hatte.

C ☐ viel von Literaturtheorie verstand.

7 Ein Lehrer an der Regieschule hat Stemann geraten,

A ☐ den Beruf des Regisseurs zu ergreifen.

B ☐ gemeinsam mit den Schauspielern zu entscheiden.

C ☒ als Regisseur keine Schwächen zu zeigen.

8 Mit 40 Jahren weiß Stemann, dass

A ☒ klare Entscheidungen im Leben sehr wichtig sein können.

B ☐ man als Regisseur viel Glück bei seiner Arbeit braucht.

C ☒ das Leben des Einzelnen von Zweifeln bestimmt wird.

Hörverstehen Teil 1: Basistraining

Im Prüfungsteil *Hörverstehen* ist der Prüfungsablauf bis auf die Sekunde genau vorgegeben. Er wird durch die CD bestimmt. Anders als beim *Leseverstehen* haben Sie also kaum Möglichkeiten, sich eigene Arbeitsschritte auszudenken. Im Folgenden lernen Sie, was Sie in jeder Phase der Prüfung tun müssen und worauf Sie dabei achten müssen, um ein möglichst gutes Ergebnis zu erzielen.

Schritt 1: Hören und lesen Sie die Einleitung und markieren Sie die wichtigen Informationen.

Am Anfang von Teil 1 gibt es eine kurze Einleitung. Erst wird gesagt, dass Sie in diesem Prüfungsteil ein Interview hören. Dann wird kurz beschrieben, was Sie machen müssen. Da es in diesem Prüfungsteil immer um ein Interview geht und die Aufgaben immer gleich aufgebaut sind, können Sie sich ganz auf die Informationen über die interviewte Person konzentrieren. Diese Informationen sind wichtig dafür, die Aussagen im Interview von Anfang an gut zu verstehen. Unterstreichen Sie diese Informationen.

Übung 1

1 2

Hören und lesen Sie die Einleitung. Unterstreichen Sie die wichtigen Informationen über die interviewte Person.

> **Teil 1**
>
> **Interview mit Nicolas Stemann**
>
> Nicolas Stemann ist ein bekannter Theaterregisseur, der gelegentlich auch als Musiker und Schauspieler auf der Bühne zu sehen ist.

Schritt 2: Markieren Sie die wichtigen Informationen in den Aufgaben.

Nachdem Sie die Einleitung gehört haben, haben Sie insgesamt zwei Minuten, die Aufgaben 1–8 kennenzulernen. Zwei Minuten sind viel Zeit, auch wenn sie Ihnen in der Prüfung kurz vorkommen werden. Nutzen Sie diese zwei Minuten gut!

Lesen Sie die Aufgaben langsam und genau durch. Markieren Sie dabei die wichtigen Informationen. Unterstreichen Sie die Schlüsselwörter. Das sind meistens Nomen oder Verben, die die Inhalte vorgeben. Kreisen Sie andere wichtige Wörter ein. Andere wichtige Wörter sind z.B. Negationen, Adjektive/Adverbien oder Präpositionen, die die Inhalte genauer bestimmen oder modifizieren.

> **MEMO**
>
> Schlüsselwörter unterstreichen, andere wichtige Wörter einkreisen.

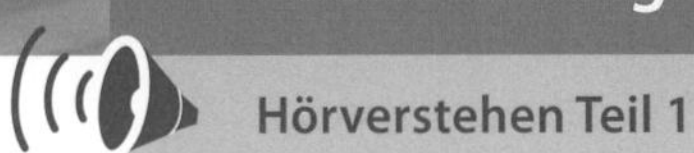

Übung 2

Lesen Sie die Aufgaben 1 und 2 und markieren Sie die wichtigen Informationen wie im Beispiel.

1 Nicolas Stemann ist ein Theaterregisseur, der

A ☐ die Proben gemeinsam mit den Schauspielern vorbereitet.

B ☒ die Schauspieler an der Entwicklung seiner Inszenierung beteiligt.

C ☐ die kollektive Arbeit im Theater grundsätzlich infrage stellt.

2 Nicolas Stemann ist ein Mensch, der

A ☐ richtig glücklich ist.

B ☒ sehr begabt ist.

C ☐ schnell entscheidet.

Bei vielen Aufgaben ist bereits beim ersten Lesen erkennbar, um welches Thema es geht.

Übung 3

Schauen Sie sich noch einmal Ihre Unterstreichungen in Übung 2 an und notieren Sie das Thema der Aufgaben.

In Aufgabe 1 geht es um … / darum, dass … / darum, wie/wer/was … *die Art und Weise, wie Stemann seine Inszenierungen mit den Schauspielern / ohne die Schauspieler entwickelt.*

In Aufgabe 2 geht es um … / darum, dass … / darum, wie/wer/was … was für ein Mensch Stemann ist ; wie er sich benimmt , was seine Qualitäten sind ; Eigenschaft

Achten Sie also beim Unterstreichen der wichtigen Informationen immer auf das Thema in dieser Aufgabe. In der Prüfung haben Sie natürlich nicht so viel Zeit, um einen ganzen Satz zu jeder Aufgabe zu schreiben. Sie können aber ein paar Stichwörter notieren.

MEMO

Thema der Aufgabe erkennen und möglichst Stichwörter notieren.

Übung 4

Fassen Sie die Themen in Aufgabe 1 und 2 in wenigen Stichwörtern zusammen.

Aufgabe 1: *Stemann – Proben – Schauspieler – Inszenierungen*

Aufgabe 2: benimmt - Eigenschaft -

Wenn Sie anschließend den Text hören, können Sie durch Ihre Unterstreichungen und Ihre Vermutungen über das Thema leichter die passenden Stellen im Interview erkennen.

Schritt 3: Hören Sie das Interview und erkennen Sie die richtigen Aussagen.

Eine große Schwierigkeit bei diesem Prüfungsteil ist, dass Sie das Interview nur einmal hören. Deswegen ist es ganz wichtig, dass Sie sich sehr gut konzentrieren und durch nichts ablenken lassen.

Sobald der Signalton zu Beginn des Interviews erklingt oder wenn es nach einer Aufgabe mit einem neuen Interviewteil weitergeht, lesen Sie rasch noch einmal den Satzanfang der jeweiligen Aufgabe und erinnern Sie sich an das Thema. Versuchen Sie nicht, sich jede einzelne Aussage unter A, B und C zu merken. Das würde Sie nur verwirren.

MEMO

Vor jedem neuen Interviewteil noch einmal den Satzanfang lesen und Thema merken.

Übung 5

a Hören Sie jetzt Anfang des Interviews und lesen Sie den vollständigen Hörtext mit.

Interviewerin: *Herr Stemann, Sie haben voriges Jahr für die Salzburger Festspiele den deutschen Nationalklassiker »Faust« neu auf die Bühne gebracht. Kann man in so einem Stoff noch Neues entdecken?*

Stemann: *Das ist eine Gefahr bei Klassikern, dass man das Gefühl hat: Jeder Gedanke ist schon gedacht. Man muss sich dann sagen: Jeder Gedanke mag gedacht sein, aber nicht von mir.*

Interviewerin: *In vielen Ihrer Inszenierungen kann man zwischen Probe und Aufführung nicht mehr richtig unterscheiden. Es wird auch auf offener Bühne weiterimprovisiert.*

Stemann: *Ich mag offene Prozesse, deren Ausgang man nicht kontrollieren kann. Dafür ist das Theater als kollektive Kunstform ideal. Ich denke mir vorher etwas aus, aber wenn ich auf die Probe komme, stelle ich es komplett zur Disposition. Ich werfe meine Gewissheiten weg und verlange das auch von meinen Leuten. Irgendwann gibt es kein Richtig und Falsch mehr und dadurch ist alles möglich. Das ist eine große Freiheit.*

Interviewerin: *Gab es bei Ihnen eine besonders wichtige Erfahrung in Ihrem Leben?*

Stemann: *Ich hatte eigentlich viel Glück. Tolle Eltern, viele Talente. Aber es gab immer einen Punkt, der mich unglücklich machte: meine notorische Unfähigkeit, mich zu entscheiden.*

b Unterstreichen Sie Aussagen im Interview, die zu den Satzanfängen oder zum Thema von Aufgabe 1 und 2 (Übung 2) passen.

c Entscheiden Sie, welche Aussagen in Aufgabe 1 und 2 richtig sind. Begründen Sie Ihre Entscheidung.

Wenn der Hörtext beginnt, haben Sie einen Moment Zeit, sich in die Situation hineinzuhören und an die Stimmen zu gewöhnen. Zu der ersten Frage und der Antwort des Interviewten gibt es (normalerweise) keine Aufgabe.

Da Sie in der richtigen Prüfung den Text natürlich nicht mitlesen können, müssen Sie sehr konzentriert zuhören und die Stellen erkennen, die zum Satzanfang einer Aufgabe und/oder zum Thema einer Aufgabe passen.

Sie können beim Hören aber immer davon ausgehen, dass die Aufgaben und die Abschnitte im Interview, auf die sich die Aufgaben beziehen, in der gleichen Reihenfolge erscheinen.

Beim Hören selbst sollten Sie vermeiden, ständig den gehörten Text mit den drei Aussagen in der Aufgabe zu vergleichen. Konzentrieren Sie sich stattdessen ganz auf das Hören.

MEMO
Aufgaben und Abschnitte im Interview sind immer in derselben Reihenfolge.

Sobald Sie so eine Textstelle erkannt haben, müssen Sie sich ganz darauf konzentrieren und verstehen, was der Sprecher / die Sprecherin zum Thema sagt bzw. was seine/ihre zentrale Aussage zum Thema ist.

Sobald Sie diese zentrale Aussage erkannt haben, müssen Sie sie mit den Aussagen A, B und C in der Aufgabe vergleichen. Das muss alles schnell gehen, da Sie den Text nur einmal hören. Sie haben nur eine Chance und können auch nicht lange darüber nachdenken, weil die CD weiterläuft. Deshalb überlegen Sie bei einer Aufgabe nicht zu lange, sondern kreuzen Sie an, was Ihnen am wahrscheinlichsten erscheint. Lassen Sie sich nicht aus der Ruhe bringen, wenn Sie eine Aufgabe nicht verstanden haben. Es geht nur um einen einzigen Punkt. Aber vergessen Sie nicht, bei irgendeiner Lösung ein Kreuz zu machen. Vielleicht haben Sie ja Glück.

MEMO
Auch bei Zweifeln immer ein Kreuz machen. Sie haben nur eine Chance.

Wie gesagt: Sie hören das Interview nur einmal. Deswegen müssen Sie die wichtigen Aussagen der interviewten Person genau verstehen. Dabei können Schlüsselwörter und ähnliche Ausdrücke im Interview und in den Aufgaben helfen. Da Sie aber keine Möglichkeit haben, die wichtigen Informationen in den Hörtexten zu unterstreichen wie hier im Trainer, müssen Sie lernen, die wichtigen Aussagen im Interview als Ganzes beim Hören zu verstehen.

MEMO
Die Aussagen im Interview als Ganzes verstehen.

Übung 6

a Lesen Sie Aufgabe 3, markieren Sie die wichtigen Informationen und notieren Sie das Thema der Aufgabe.

– publikum

3 Auch Außenstehende können sehen, dass Stemann

A ☐ manchmal die falschen Schauspieler auswählt.

B ☐ an manchen Theaterstücken scheitert.

C ☒ trotz mancher Probleme gutes Theater macht.

b Hören Sie nun den Abschnitt, der zu Aufgabe 3 passt. Lesen Sie den Text mit.

> ***Interviewerin:*** *Ist das etwas, das auch Außenstehende wahrnehmen?*
>
> ***Stemann:*** *Ja, sowohl privat als auch beruflich. Intendanten können davon ein Lied singen. Ich sage ein Stück zu und ab da bereue ich nur noch meine Zusage. Während der laufenden Arbeit sage ich dann immer: Es ist alles ganz furchtbar, ganz schlimmes Stück, vollkommen falsch besetzt mit diesen Schauspielern. Diese Verzweiflung treibt mich dann an, aus all diesem als falsch Erlebten doch noch irgendwas zu machen.*

c Vergleichen Sie den Interviewtext mit Aufgabe 3 und Ihren Unterstreichungen. Welche Aussage ist richtig? Begründen Sie Ihre Entscheidung.

In den letzten Übungen konnten Sie den Text des Interviews mitlesen und direkt mit den Aussagen in den Aufgaben vergleichen. Das war eine Vorübung, die nur hier im Trainer möglich ist.
In der richtigen Prüfung haben Sie dazu natürlich keine Gelegenheit. Deswegen sollten Sie in den nächsten Aufgaben versuchen, die Aufgaben beim Hören zu lösen, bevor Sie den Hörtext (zur Kontrolle) mitlesen.

Übung 7

Gehen Sie zum Übungstest auf Seite 47. Hören Sie das ganze Interview und lösen Sie die Aufgaben wie in Schritt 2 und 3 beschrieben.

Wenn Sie Probleme mit den Aufgaben 4 bis 8 haben, können Sie das Interview im Lösungsheft auf Seite 2 mitlesen.

Schritt 4: Kontrollieren Sie Ihre Lösungen.

Nachdem Sie das Interview gehört und die Aufgaben gelöst haben, haben Sie nur etwa zehn Sekunden Zeit, bis es mit *Hörverstehen* Teil 2 weitergeht. In dieser Zeit sollten Sie Ihre Lösungen noch einmal kurz kontrollieren:

- Habe ich überall ein Kreuz (und nicht mehr) gemacht?
- Wo muss ich noch ein Kreuz ergänzen?

Teil 2

Tierversuche

Aufgabe jetzt noch nicht lösen, erst das Basistraining bearbeiten!

Teil 2 A

Sie hören gleich Aussagen von vier Personen zum Thema Tierversuche. Entscheiden Sie beim Hören, welche Aussage (A, B oder C) zu welcher Person (Aufgaben 9–12) passt.

Lesen Sie nun zunächst die Aussagen A, B und C. Sie haben dazu 30 Sekunden Zeit.

Welche Meinung haben die Personen zu Tierversuchen?

A Die Person ist strikt dagegen.
B Die Person sieht keine Alternative.
C Die Person ist unter bestimmten Umständen dafür.

Aufgabe		**A**	**B**	**C**
		Die Person ist strikt dagegen.	Die Person sieht keine Alternative.	Die Person ist unter bestimmten Umständen dafür.
9	Person 1			
10	Person 2			
11	Person 3			
12	Person 4			

Teil 2 B

Sie hören die vier Personen gleich ein zweites Mal.
Entscheiden Sie beim Hören, welche der Aussagen A–F zu welcher Person passt (Aufgaben 13–16).
Zwei Aussagen bleiben übrig.

Lesen Sie zunächst die Aussagen A–F. Sie haben dazu eine Minute Zeit.

A	Tierversuche sind ausschließlich für medizinische Versuche vertretbar.
B	Die Ergebnisse von Tierversuchen kann man nicht ohne Weiteres auf Menschen übertragen.
C	Tierversuche sind der einzige Weg, Menschen vor schweren Erkrankungen zu schützen.
D	Das Leiden der Versuchstiere wird von Tierschutzorganisationen übertrieben.
E	Unsere Gesetze verbieten Tierversuche, die besonders schmerzhaft sind.
F	Es gibt heutzutage andere Möglichkeiten, die Wirkung von bestimmten Stoffen zu testen.

Aufgabe		**A**	**B**	**C**	**D**	**E**	**F**
13	Person 1						
14	Person 2						
15	Person 3						
16	Person 4						

Hörverstehen Teil 2: Basistraining

Dieser Prüfungsteil besteht aus zwei Teilen (Teil 2 A und Teil 2 B). In Teil 2 A hören Sie Aussagen von vier Personen zu einem bestimmten Thema. Außerdem sind schriftlich drei Meinungen zu diesem Thema vorgegeben. Ihre Aufgabe ist es, die Aussagen der vier Personen zu hören und den drei Meinungen zuzuordnen.

Schritt 1: Hören und lesen Sie die Einleitung zu Teil 2 A.

Am Anfang von *Hörverstehen* Teil 2 A gibt es eine Einleitung. Erst wird gesagt, um welches Thema es geht, dann erfahren Sie, was Sie machen müssen. Das wissen Sie alles schon, bevor Sie mit diesem Prüfungsteil beginnen. Wichtig ist das Thema, das in der Überschrift und in der Einleitung genannt wird. Versuchen Sie ganz kurz zu erkennen, worum es bei diesem Thema gehen könnte.

MEMO
Wenn möglich, erkennen, worum es bei diesem Thema gehen könnte.

Übung 1

Hören und lesen Sie die Einleitung. Worum könnte es bei diesem Thema gehen?

Teil 2: Tierversuche

Teil 2 A

Sie hören gleich Aussagen von vier Personen zum Thema Tierversuche. Entscheiden Sie beim Hören, welche Aussage (A, B oder C) zu welcher Person (Aufgaben 9–12) passt.

Schritt 2: Markieren Sie die unterschiedlichen Meinungen.

Unter A, B und C werden die unterschiedlichen Meinungen der Personen kurz beschrieben. Sie haben 30 Sekunden Zeit zu lesen, welche Meinungen die Personen haben, und die Unterschiede zu markieren. Sie können davon ausgehen, dass das Thema sehr unterschiedliche Meinungen zulässt. Ihre eigene Meinung zum Thema ist allerdings nicht gefragt. Es geht nur um die Meinung bzw. Einstellung der Sprecher und Sprecherinnen zu diesem Thema.

MEMO
Ihre eigene Meinung zum Thema spielt keine Rolle.

Übung 2

Lesen Sie die drei Meinungen A, B und C. Markieren Sie die Unterschiede.

A Die Person ist strikt dagegen.
B Die Person sieht keine Alternative.
C Die Person ist unter bestimmten Umständen dafür.

In der Prüfung haben Sie dreißig Sekunden Zeit, die kurzen Sätze zu lesen und die Unterschiede zu markieren. Das ist viel Zeit. Wahrscheinlich haben Sie noch einen Moment, über mögliche Gründe nachzudenken, die von den Personen vorgebracht werden können.

Übung 3

Notieren Sie einige Gründe, die die Personen nennen könnten.

In der richtigen Prüfung haben Sie natürlich keine Zeit, mögliche Gründe schriftlich zu notieren. Aber es hilft wahrscheinlich, die folgenden Aussagen schneller zu verstehen, wenn Sie sich den einen oder anderen Grund im Vorhinein kurz bewusst gemacht haben.

MEMO

Kurz über mögliche Gründe für die Meinungen der Personen nachdenken.

Schritt 3: Hören Sie die Texte und lösen Sie die Aufgaben.

Sie hören nacheinander vier kurze Texte. In jedem Text macht eine Person eine Aussage zum Thema. Person 1 beginnt. Danach kommen die anderen Personen an die Reihe. Während Sie die Texte hören, müssen Sie an der passenden Stelle ein Kreuz machen. Da Sie die Texte in Teil A nur einmal hören, müssen Sie bei jedem Text sofort ein Kreuz machen.

MEMO

Nach dem Hören jedes Textes sofort ein ✗ machen.

Sie müssen also herausfinden, welche Einstellung jede Person zum Thema hat. In unserem Beispiel müssen Sie heraushören, ob die Person strikt gegen Tierversuche ist, ob sie keine Alternativen sieht oder ob Sie nur unter bestimmten Umständen für Tierversuche ist. Beachten Sie dabei, dass eine der Meinungen auf zwei Personen zutrifft.

Manchmal können Sie schon am Tonfall erkennen, ob eine Personen gegen oder für etwas ist. In so einem Fall kommt es darauf an, wie ein Sprecher etwas sagt. Besonders deutlich lässt sich das hören, wenn jemand ganz strikt etwas ablehnt oder gar darüber empört ist.

Übung 4

Hören Sie die Aussage von Person 1. Achten Sie auf den Tonfall. Entscheiden Sie dann, welche Einstellung die Person zum Thema hat.

Aufgabe		A	B	C
		Die Person ist strikt dagegen.	Die Person sieht keine Alternative.	Die Person ist unter bestimmten Umständen dafür.
9	Person 1			

Sie sollten also auch auf den Tonfall achten. Der kann bereits etwas über die Einstellung der Person verraten.

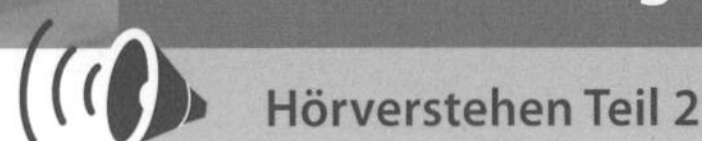

Bei den meisten Aussagen müssen Sie aber vor allem auf die Inhalte achten. Besonders, wenn die Sprecher/Sprecherinnen etwas ganz neutral sagen, ist es wichtig, den Inhalt zu verstehen. Nur so können Sie erkennen, ob jemand – wie in unserem Beispiel – keine Alternative sieht oder unter bestimmten Umständen dafür ist.

Übung 5

Hören Sie die Aussage von Person 2. Achten Sie vor allem auf den Inhalt. Entscheiden Sie, welche Einstellung die Person zum Thema hat.

Aufgabe		A	B	C
		Die Person ist strikt dagegen.	Die Person sieht keine Alternative.	Die Person ist unter bestimmten Umständen dafür.
10	Person 2			

Das war sicher schwieriger als in Übung 4, denn hier mussten Sie genau verstehen, was die Sprecherin gesagt hat. Wenn Sie damit Schwierigkeiten hatten, können Sie den Hörtext in der nächsten Übung mitlesen.

Übung 6

a **Hören Sie die Aussage von Person 2 noch einmal und lesen Sie den Text mit.**

Person 2: *Experimente mit Tieren sind schlimm. Das ist gar keine Frage. Und ich könnte so etwas selbst überhaupt nicht machen. Auf der anderen Seite gibt es schwere Krankheiten und bis heute kann man die Wirkung von neuen Medikamenten eben nicht nur am Computer berechnen. Die muss man an lebenden Wesen ausprobieren. Experimente mit Menschen, selbst wenn die zustimmen, finde ich erst recht problematisch. Deswegen denke ich, können wir gar nicht auf Versuche mit Tieren verzichten, egal ob es um Krankheiten oder um Kosmetika geht. Durch ungeprüfte Hautcremes könnten ja auch schwere Krankheiten entstehen. Und das will sicher niemand.*

b **Begründen Sie in ihren Worten, warum der Sprecher (in Übung 6 a) keine Alternative sieht.**

In der richtigen Prüfung haben Sie natürlich keine Zeit, Ihre Entscheidung ausführlich zu begründen. Vor allem können Sie die Texte auch nicht lesen. Sie müssen allein vom Hören erkennen, welche Einstellung der Sprecher / die Sprecherin zum Thema hat. Auch wenn Sie nicht sicher sind, sollten Sie immer ein Kreuz machen.

MEMO

Auch wenn Sie nicht sicher sind, auf alle Fälle ein Kreuz machen.

Übung 7

1 10 **Gehen Sie zum Übungstest auf Seite 54 und lösen Sie alle Aufgaben wie in den Schritten 2 und 3 beschrieben.**

Wenn Sie Schwierigkeiten hatten, die Einstellungen der Personen zu erkennen, können Sie die Hörtexte im Lösungsheft auf Seite 3 mitlesen.

Nachdem Sie die Texte in der richtigen Prüfung einmal gehört haben, geht es sofort weiter mit Teil 2 B.

Schritt 4: Hören und lesen Sie die Einleitung zu Teil 2 B.

Auch am Anfang von Teil 2 B gibt es eine kurze Einleitung. Diese Einleitung ist immer gleich.

Übung 8

1 11 **Hören und lesen Sie die Einleitung zu Teil 2 B und kreuzen Sie an, was Sie in diesem Prüfungsteil machen müssen.**

Teil 2 B

Sie hören die vier Personen gleich ein zweites Mal.
Entscheiden Sie beim Hören, welche der Aussagen A–F zu welcher Person passt (Aufgaben 13–16). Zwei Aussagen bleiben übrig.

Lesen Sie zunächst die Aussagen A–F. Sie haben dazu eine Minute Zeit.

A ☐ Die vier Meinungen aus Teil 2 A noch einmal hören.

B ☐ Die Aussagen der Personen in die richtige Reihenfolge bringen.

C ☐ Die Aussagen (A–F) den vier Personen zuordnen.

D ☐ Die Meinungen der vier Personen bewerten.

In der richtigen Prüfung müssen Sie sich nicht auf die Einleitung konzentrieren. Wenn Sie den Prüfungstrainer durchgearbeitet haben, wissen Sie ja schon, was von Ihnen in Teil 2 B verlangt wird, und können gleich mit dem nächsten Schritt beginnen.

Schritt 5: Lesen Sie die Aussagen (A–F) und markieren Sie wichtige Informationen.

Zunächst müssen Sie die sechs neuen Aussagen (A–F) lesen. Dazu haben Sie eine Minute Zeit. Beim Lesen sollten Sie die wichtigen Informationen markieren. Die stecken natürlich wieder in den Schlüsselwörtern. Markieren Sie also wie üblich die Schlüsselbegriffe und andere wichtige Ausdrücke. Dafür haben Sie insgesamt eine Minute Zeit.

Da das Thema schon bekannt ist (hier: Tierversuche), können Sie sich sparen, diesen Begriff immer wieder zu unterstreichen. Sie wissen ja schon, um welches Thema es geht.

Übung 9

Lesen Sie die Aussagen (A–F) und markieren Sie die wichtigen Informationen.

A	Tierversuche sind ausschließlich für medizinische Versuche vertretbar.
B	Die Ergebnisse von Tierversuchen kann man nicht ohne Weiteres auf Menschen übertragen.
C	Tierversuche sind der einzige Weg, Menschen vor schweren Erkrankungen zu schützen.
D	Das Leiden der Versuchstiere wird von Tierschutzorganisationen übertrieben.
E	Unsere Gesetze verbieten Tierversuche, die besonders schmerzhaft sind.
F	Es gibt heutzutage andere Möglichkeiten, die Wirkung von bestimmten Stoffen zu testen.

Obwohl die Aussagen (A–F) recht kurz sind, kann man beim Markieren der wichtigen Informationen oft schon erkennen, zu welcher der drei Meinungen diese Sätze passen.

MEMO

Auf Informationen achten, die auf die Meinung der Personen hinweisen

Übung 10

Lesen Sie Satz A (in Übung 9). Zu welcher Meinung (strikt dagegen / keine Alternative / unter bestimmten Umständen dafür) könnte dieser Satz passen? Begründen Sie.

In der richtigen Prüfung haben Sie nur eine Minute, um alle Aussagen durchzulesen und die wichtigen Informationen zu unterstreichen. Verwenden Sie nicht zu viel Zeit auf die Suche nach Formulierungen, die etwas über die Meinung der Personen verraten. Solche Sätze kommen nicht sehr oft vor, aber natürlich ist es hilfreich, wenn Sie die entsprechenden Formulierungen schon beim Unterstreichen der wichtigen Informationen erkennen.

Bei den meisten Sätzen können Sie den inhaltlichen Zusammenhang mit den Aussagen der Personen aber erst dann erkennen, wenn Sie die Aussagen ein zweites Mal hören.

Schritt 6: Hören Sie noch einmal die Aussagen der Sprecher und ordnen Sie die Sätze A–F zu.

Wenn Sie die Aussagen der Sprecher zum zweiten Mal hören, müssen Sie die inhaltlichen Bezüge zu den Sätzen A–F erkennen.

Übung 11

Hören Sie Person 1 noch einmal. Welcher Satz passt? Begründen Sie.

A	Tierversuche sind ausschließlich für medizinische Versuche vertretbar.
B	Die Ergebnisse von Tierversuchen kann man nicht ohne Weiteres auf Menschen übertragen.
C	Tierversuche sind der einzige Weg, Menschen vor schweren Erkrankungen zu schützen.
D	Das Leiden der Versuchstiere wird von Tierschutzorganisationen übertrieben.
E	Unsere Gesetze verbieten Tierversuche, die besonders schmerzhaft sind.
F	Es gibt heutzutage andere Möglichkeiten, die Wirkung von bestimmten Stoffen zu testen.

Bei dieser Aufgabe müssen Sie durch einen raschen Vergleich von inhaltlichen Übereinstimmungen herausfinden, welcher Satz zu welcher Meinung bzw. Person passt. Das kann nur funktionieren, wenn Sie wirklich verstanden haben, welche Meinung die vier Personen jeweils vertreten und was in den Sätzen A–F ausgesagt wird. Dieser Vergleich wird dadurch erschwert, dass zwei der vorgegebenen Sätze zu keiner Person passen und übrig bleiben.

MEMO
Auf inhaltliche Übereinstimmungen achten.

Übung 12

1 13 **Hören Sie Person 2 noch einmal. Welcher Satz passt? Begründen Sie.**

Wenn Sie Schwierigkeiten mit dieser Übung hatten, sollten Sie die folgende Übung machen.

Übung 13

1 14 **a Hören und lesen Sie Person 2. Markieren Sie die wichtigen Informationen.**

Person 2: *Experimente mit Tieren sind schlimm. Das ist gar keine Frage. Und ich könnte so etwas selbst überhaupt nicht machen. Auf der anderen Seite gibt es schwere Krankheiten und bis heute kann man die Wirkung von neuen Medikamenten eben nicht nur am Computer berechnen. Die muss man an lebenden Wesen ausprobieren. Experimente mit Menschen, selbst wenn die zustimmen, finde ich erst recht problematisch. Deswegen denke ich, können wir gar nicht auf Versuche mit Tieren verzichten, egal ob es um Krankheiten oder um Kosmetika geht. Durch ungeprüfte Hautcremes könnten ja auch schwere Krankheiten entstehen. Und das will sicher niemand.*

b Vergleichen Sie Ihre Markierungen im Text mit Ihren Markierungen in den Sätzen A–F (Übung 9).

c Welcher Satz passt? Begründen Sie Ihre Entscheidung.

Wenn Sie einen Satz zugeordnet haben, streichen Sie ihn durch. Wenn Sie unsicher sind, machen Sie ein Fragezeichen bei dem Satz, der vielleicht passt.

MEMO
Verwendete Sätze durchstreichen, bei Unsicherheit Fragezeichen machen.

Übung 14

1 15

Gehen Sie zum Übungstest auf Seite 55 und lösen Sie alle Aufgaben wie in den Schritten 5 und 6 beschrieben.

Wenn Sie Schwierigkeiten hatten, die Sätze den Personen zuzuordnen, können Sie auch noch einmal die Texte im Lösungsheft mitlesen.

Nachdem Sie die Aussagen der vier Personen zweimal gehört und die Aufgaben in Teil 2 A und Teil 2 B gelöst haben, ist dieser Prüfungsteil abgeschlossen.

Schritt 7: Kontrollieren Sie Ihre Lösungen.

Sie haben nur etwa 10 Sekunden Zeit, bis es mit *Hörverstehen* Teil 3 weitergeht. In dieser Zeit sollten Sie Ihre Lösungen noch einmal kontrollieren:

- Habe ich alle Fragezeichen durch ein Kreuz ersetzt?
- Habe ich in Teil 2 A jeder Person eine Aussage zugeordnet?
- Habe ich in Teil 2 B jeder Person einen Satz zugeordnet?
- Habe ich keinen Satz doppelt zugeordnet?

Teil 3

Aufgabe jetzt noch nicht lösen, erst das Basistraining bearbeiten!

Die Clowns von Konstanz

Sie hören gleich einen Bericht über die Clown-Schule Tamala in Konstanz.

Lesen Sie jetzt die Aufgaben (17 – 24). Sie haben dafür zwei Minuten Zeit.

Kreuzen Sie beim Hören bei jeder Aufgabe die richtige Lösung an.

Sie hören den Text **zweimal**.

17 Wer ein richtiger Clown werden will, muss an der Schule

A ☐ viel mit kranken Menschen arbeiten.
B ☐ Witze lernen und eine rote Nase tragen.
C ☐ zwei Jahre lang für diesen Beruf lernen.

18 Die Studenten an dieser Schule

A ☐ können sich auch zum Schauspieler ausbilden lassen.
B ☐ wollen sich einer besonderen Herausforderung stellen.
C ☐ müssen bereits eine Berufsausbildung haben.

19 Ein Clown kann alten Menschen helfen, indem er

A ☐ ihnen freundlich ihre Fehler erklärt.
B ☐ laut über seine eigene Dummheit lacht.
C ☐ gemeinsam mit ihnen über ihre Fehler lacht.

20 Die ausgebildeten Clowns

A ☐ arbeiten vor allem im Gesundheitsbereich.
B ☐ finden nur schwer einen Arbeitsplatz.
C ☐ werden für ihre Arbeit gut bezahlt.

21 Während ihrer Ausbildung an der Clown-Schule

A ☐ arbeiten die Studenten auch mit aggressiven Patienten.
B ☐ trainieren die Studenten ihr Verhalten in simulierten Situationen.
C ☐ üben die Studenten wochenlang mit besonders schwierigen Kindern.

22 Weil sie unbedingt Clown werden wollen, akzeptieren die Studenten

A ☐ über € 3000,– für Unterbringung und Fahrten.

B ☐ finanzielle Nachteile in der Ausbildung und im Beruf.

C ☐ die schwierige Arbeit mit alten und kranken Menschen.

23 Die Ausbildung zum Clown setzt voraus, dass man

A ☐ mindestens ein Musikinstrument spielt.

B ☐ bereits eine eigene Clown-Figur entwickelt hat.

C ☐ schon eine starke Persönlichkeit mitbringt.

---

24 In diesem Artikel geht es hauptsächlich darum,

A ☐ welches Ansehen Clowns in unserer Gesellschaft haben.

B ☐ wie man ein erfolgreicher Clown werden kann.

C ☐ welche Eigenschaften ein guter Clown haben muss.

Hörverstehen Teil 3: Basistraining

Auch dieser Prüfungsteil ist nicht leicht. Sie haben nur zwei Minuten Zeit, die Aufgaben (17 – 24) durchzulesen, bevor der Hörtext beginnt. Außerdem müssen Sie sich beim Hören sofort entscheiden. Es gibt keine Pausen, in denen Sie über Ihre Entscheidung nachdenken könnten. Der Text, den Sie hören werden, ist etwa 700 Wörter lang und dauert ungefähr sechs Minuten. Anders als in den vorangegangenen Prüfungsteilen hören Sie den Text aber zweimal. Das ist ein Vorteil, denn Sie können beim zweiten Hören überprüfen, ob Ihre Lösungen richtig sind.

Auch in diesem Prüfungsteil wird der Prüfungsablauf auf die Sekunde genau durch die CD gesteuert. Hier im Basistraining werden wir uns aber mehr Zeit lassen, damit Sie diesen Prüfungsteil gut kennenlernen.

Schritt 1: Hören und lesen Sie die Einleitung.

Sobald die CD startet, hören Sie die Einleitung zu diesem Prüfungsteil. Erst wird kurz gesagt, um welches Thema es geht, dann wir gesagt, was Sie machen müssen. Meistens werden Sie mit dem Thema bereits bestimmte Erwartungen verbinden. Hier in unserem Beispiel geht es um eine Schule für Clowns.

Übung 1

Hören und lesen Sie die Einleitung. Worum könnte es bei diesem Thema gehen? Notieren Sie.

> **Teil 3**
>
> **Die Clowns von Konstanz**
>
> Sie hören gleich einen Bericht über die Clown-Schule Tamala in Konstanz.
>
> Lesen Sie jetzt die Aufgaben (17 – 24). Sie haben dafür zwei Minuten Zeit.

Nachdem Sie erfahren haben, worum es in dem Text geht, und kurz über Ihre Erwartungen bei diesem Thema nachgedacht haben, sollen Sie die Aufgaben 17 – 24 lesen. Sie haben dafür zwei Minuten Zeit. Da es acht Aufgaben mit je drei Auswahlmöglichkeiten gibt, bleibt Ihnen nicht viel Zeit für jede Aufgabe. – Trotzdem sollten Sie sie genau und gründlich lesen.

Schritt 2: Markieren Sie alle wichtigen Informationen in den Aufgaben 17 bis 23 und erkennen Sie das Thema.

Bevor der Hörtext beginnt, müssen Sie alle wichtigen Informationen in den Aufgaben markieren und sich bewusst machen, worum es in jeder Aufgabe geht. Dazu haben Sie zwei Minuten Zeit. Nutzen Sie diese Zeit!

Die meisten Aufgaben haben ein „Thema". Das müssen Sie erkennen und in Gedanken kurz beschreiben, wie in folgendem Beispiel:

17 Wer ein richtiger Clown werden will, muss an der Schule

A ☐ viel mit kranken Menschen arbeiten.

B ☐ Witze lernen und eine rote Nase tragen.

C ☐ zwei Jahre lang für diesen Beruf lernen.

Thema: *Was man machen muss, um ein richtiger Clown zu sein. / Wie man ein richtiger Clown wird. / Was ein richtiger Clown ist.*

Das Thema kann man manchmal in einem Stichwort beschreiben, manchmal braucht man dafür auch einen kurzen Satz wie in unserem Beispiel.

Übung 2

Bearbeiten Sie die Aufgaben 19 – 23 wie im Beispiel. Schreiben Sie das Thema in Stichwörtern neben die Aufgabe.

18 Die Studenten an dieser Schule

A ☐ können sich auch zum Schauspieler ausbilden lassen.

B ☐ wollen sich einer besonderen Herausforderung stellen.

C ☐ müssen bereits eine Berufsausbildung haben.

Ausbildung: Merkmale/Ziele

19 Ein Clown kann alten Menschen helfen, indem er

A ☐ ihnen freundlich ihre Fehler erklärt.

B ☐ laut über seine eigene Dummheit lacht.

C ☐ gemeinsam mit ihnen über ihre Fehler lacht.

20 Die ausgebildeten Clowns

A ☐ arbeiten vor allem im Gesundheitsbereich.

B ☐ finden nur schwer einen Arbeitsplatz.

C ☐ werden für ihre Arbeit gut bezahlt.

21 Während ihrer Ausbildung an der Clown-Schule

A ☐ arbeiten die Studenten auch mit aggressiven Patienten.

B ☐ trainieren die Studenten ihr Verhalten in simulierten Situationen.

C ☐ üben die Studenten wochenlang mit besonders schwierigen Kindern.

22 Weil sie unbedingt Clown werden wollen, akzeptieren die Studenten

A ☐ über € 3000,– Kosten für Unterbringung und Fahrten.

B ☐ finanzielle Nachteile in der Ausbildung und im Beruf.

C ☐ die schwierige Arbeit mit alten und kranken Menschen.

23 Die Ausbildung zum Clown setzt voraus, dass man

A ☐ mindestens ein Musikinstrument spielt.

B ☐ bereits eine eigene Clown-Figur entwickelt hat.

C ☐ schon eine starke Persönlichkeit mitbringt.

Wenn Ihnen beim Lesen und Markieren ein Stichwort einfällt, mit dem Sie das Thema beschreiben können, notieren Sie es neben der Aufgabe.

> **MEMO**
> *Thema eventuell mit ein, zwei Stichwörtern neben der Aufgabe beschreiben.*

Meistens reichen aber schon die Markierungen, um klarzumachen, was das Thema der Aufgabe ist. Auf keinen Fall haben Sie aber Zeit, das Thema ausführlich zu beschreiben, wie wir das hier im Prüfungstrainer gemacht haben. Das haben wir nur gemacht, um das Erkennen des Themas zu üben.

Dabei werden Sie wahrscheinlich bemerkt haben, dass Sie an einige der „Themen", die in den Aufgaben vorkommen, schon in Übung 1 gedacht haben.

Übung 3

Welche Themen, die in den Aufgaben 18 – 23 angesprochen werden, hatten Sie schon in Übung 1 erwartet?

Schritt 3: Lösen Sie die Aufgaben beim ersten Hören.

Nachdem Sie die Aufgaben bearbeitet haben, beginnt bereits der Hörtext. Sie haben etwas Zeit, sich einzuhören, denn zu den ersten Informationen im Text gibt es grundsätzlich keine Aufgabe. Hören Sie aber von Anfang an konzentriert zu. Lassen Sie sich durch nichts ablenken. Nachdem Sie die ersten Informationen gehört haben, werfen Sie noch einmal einen Blick auf die erste Aufgabe (Aufgabe 17) und Ihre Markierungen. Wichtig sind der Satzanfang und das Thema. Die Einzelheiten der drei Aussagen (A, B und C) brauchen Sie erst, wenn Sie an eine Stelle im Text kommen, in der vom Thema die Rede ist.

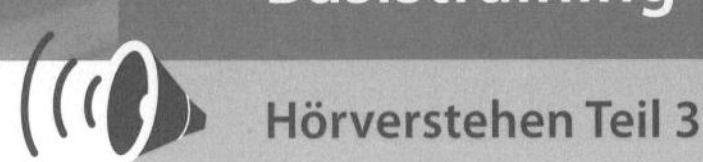

Übung 4

a **Schauen Sie sich Aufgabe 18 noch einmal an. Erinnern Sie sich an die wichtigen Informationen und markieren Sie diese noch einmal.**

18 Die Studenten an dieser Schule

A ☐ können sich auch zum Schauspieler ausbilden lassen.

B ☐ wollen sich einer besonderen Herausforderung stellen.

C ☐ müssen bereits eine Berufsausbildung haben.

b **Worum geht es in dieser Aufgabe? Erinnern Sie sich an das Thema und notieren Sie es (noch einmal) hier am Rand.**

c **Starten Sie die CD und drücken Sie die Haltetaste, wenn ein Inhalt beginnt, der nichts mehr mit dem Thema von Aufgabe 18 zu tun hat.**

d **Worum geht es in diesem Teil des Hörtextes? Notieren Sie.**

e **Vergleichen Sie Ihre Stichwörter aus b mit Ihren Stichwörtern in d. Entscheiden Sie, welche Aussage (A, B oder C) richtig ist, und kreuzen Sie an.**

Das war sicher nicht einfach. Deswegen können Sie hier die Textstelle zu Aufgabe 18 nachlesen und mit Ihrer Lösung vergleichen.

Der jüngste künftige Clown in Konstanz ist derzeit gerade mal 23, die älteste Studentin fast siebzig. Einige wollten früher einmal Schauspieler werden, andere haben eine Ausbildung als Tischler hinter sich oder sind ausgebildete Ingenieure. Aber irgendwann hat sie die Suche nach einer neuen Aufgabe und ungewöhnlichen Herausforderungen an die Tamala-Clown-Akademie geführt. „Tamala" ist der Name eines mystischen Baums und kommt aus dem Sanskrit. Der Name steht für „Wachstum". Die Schule heißt so, weil die Studenten hier innerlich wachsen und ihre Persönlichkeit entwickeln sollen.

In der richtigen Prüfung können Sie den Text natürlich nicht mitlesen und es gibt keine Pausen zwischen den Textabschnitten zu den Aufgaben. Stattdessen müssen Sie sich für eine Lösung entscheiden, während Sie den Text hören. Da der Text ohne Unterbrechung weitergeht, haben Sie nicht viel Zeit für die Entscheidung. Spätestens dann, wenn einer neuer Inhalt beginnt, der zu einer neuen Aufgabe gehört, müssen Sie Ihr Kreuz machen und sich sofort auf das neue Thema konzentrieren.

MEMO

Schon beim ersten Hören für eine Lösung entscheiden.

Werfen Sie dazu einen Blick auf die nächste Aufgabe und Ihre Markierungen. Prägen Sie sich den Satzanfang und das Thema ein. Wenn Sie zu der Stelle im Text kommen, an der von diesem Thema die Rede ist, vergleichen Sie diese mit den Aussagen in A, B und C.

Hören Sie so den gesamten Text und konzentrieren Sie sich sofort auf die nächste Aufgabe, wenn Sie bei einer Aufgabe ein Kreuz gemacht haben.

MEMO

Spätestens dann eine Lösung ankreuzen, wenn ein neues Thema beginnt.

Übung 5

Gehen Sie zum Übungstest auf Seite 63/64. Hören Sie den ganzen Text und bearbeiten Sie alle Aufgaben wie in Schritt 2 und 3 beschrieben.

Wenn Sie mit dieser Übung Schwierigkeiten hatten, sollten Sie die Übung noch einmal machen und dabei den Text im Lösungsheft auf den Seiten 3 und 4 mitlesen.

Schritt 4: Bestimmen Sie die richtige Aussage in Aufgabe 24.

Bei der letzten Aufgabe in diesem Prüfungsteil geht es immer um den Text als Ganzes und nicht um einen bestimmten Textabschnitt. Sie müssen erkennen, worum es in diesem Text geht bzw. was das Wichtigste am Text ist.

Dafür haben Sie nur ein paar Sekunden, nachdem der Hörtext zu Ende ist. Wenn Sie unsicher sind, welche Aussage richtig ist, ergänzen Sie vor jeder Aussage die Formulierung:

In dem Text geht es NUR / VOR ALLEM um … /darum, dass …

Dabei erkennen Sie meistens sofort, welche Aussage richtig ist. – Wenn nicht, raten Sie und machen Sie Ihr Kreuz nach Gefühl.

Übung 6

a Erinnern Sie sich noch einmal an den ganzen Text. Kreuzen Sie dann die richtige Lösung an.

24 In diesem Artikel geht es hauptsächlich darum,

A ☐ welches Ansehen Clowns in unserer Gesellschaft haben.

B ☐ wie man ein erfolgreicher Clown werden kann.

C ☐ welche Eigenschaften ein guter Clown haben muss.

b Begründen Sie Ihre Entscheidung.

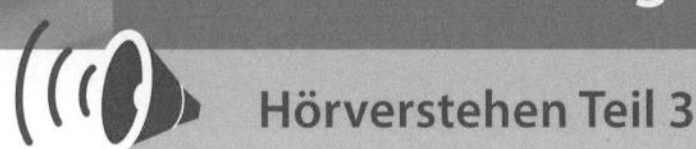

Schritt 5: Überprüfen Sie Ihre Lösungen beim zweiten Hören.

Nach dem ersten Hören gibt es eine kurze Pause von etwa zehn Sekunden. In dieser Zeit müssen Sie Aufgabe 24 lösen wie oben beschrieben. Danach hören Sie den Text ein zweites Mal. Auch beim zweiten Hören gibt es keine Pausen. Der Text geht ohne Unterbrechung weiter. Sie müssen sich also sofort entscheiden, wenn Sie eine Lösung aus dem ersten Durchgang ändern wollen. Achten Sie dabei auf folgende Punkte:

- Stimmt meine Lösung mit dem Thema in diesem Abschnitt überein?
- Habe ich nur eine Lösung angekreuzt?
- Habe ich bei jeder Aufgabe eine Lösung angekreuzt?

Aber denken Sie daran, dass die erste, spontane Entscheidung meistens schon richtig ist. Verbessern Sie nur dann, wenn Sie ganz sicher sind, dass Sie im ersten Durchgang etwas falsch gemacht haben.

Nach dem zweiten Hören haben Sie das Ende des Prüfungsteils *Hörverstehen* erreicht.

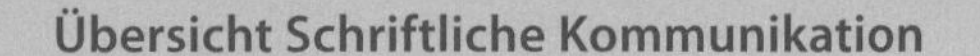

Schriftliche Kommunikation: Übersicht

Im Prüfungsteil *Schriftliche Kommunikation* müssen Sie einen Aufsatz zu einem vorgegebenen Thema schreiben. Der Aufsatz besteht aus folgenden Teilen:

- Zusammenfassung eines Sachtextes
- Auswertung von ein oder zwei Grafiken
- Argumentative Stellungnahme zum Thema

Diese Teile bilden einen zusammenhängenden Text und werden durch eine Einleitung und geeignete Überleitungen miteinander verbunden. Die Länge des Textes ist nicht vorgeschrieben. Aber für einen guten Aufsatz, in dem alle Teile gründlich ausgestaltet sind, brauchen Sie ungefähr 500 bis 600 Wörter.

Sie haben dafür insgesamt 120 Minuten Zeit.

Für den Aufsatz können Sie maximal 24 Punkte bekommen.

Gesamteindruck	
Gedankengang	max. 3 Punkte
Flüssigkeit	max. 3 Punkte
Inhalt	
Wiedergabe	max. 3 Punkte
Erörterung	max. 3 Punkte
eigene Meinung	max. 3 Punkte

Sprachliche Mittel	
Wortschatz	max. 3 Punkte
Strukturen	max. 3 Punkte
Korrektheit	
grammatische Korrektheit	max. 3 Punkte

Um das Niveau B 2 zu erreichen, sind mindestens 8 Punkte erforderlich.
Um das Niveau C 1 zu erreichen, benötigen Sie mindestens 12 Punkte.

Die grammatische Korrektheit wird bewertet, aber wesentlich wichtiger sind der Inhalt, die sprachlichen Mittel und der Gesamteindruck Ihres Textes.

Während der Prüfung dürfen Sie ein einsprachiges und/oder ein zweisprachiges Wörterbuch benutzen.

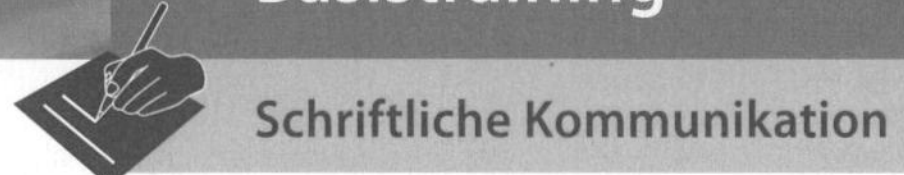

Aufgabe

Aufgabe jetzt noch nicht lösen, erst das Basistraining bearbeiten!

Singledasein:
Immer mehr Einpersonenhaushalte in Deutschland

Schreiben Sie einen **zusammenhängenden Text** zum Thema „Singledasein". Bearbeiten Sie in Ihrem Text die folgenden drei Punkte:

- Arbeiten Sie wichtige Aussagen aus dem Text heraus.
- Werten Sie die Grafik anhand von wichtigen Daten aus.
- Nehmen Sie in Form einer ausgearbeiteten Argumentation ausführlich zum Thema „Singledasein" Stellung.

Sie haben insgesamt **120 Minuten** Zeit.

Singledasein: Immer mehr Einpersonenhaushalte in Deutschland

In Deutschland gab es noch nie so viele Singles wie heute: Millionen von Menschen leben in sogenannten Einpersonenhaushalten. Anfang der siebziger Jahre war ihr Anteil noch deutlich niedriger.

Im Durchschnitt liegt der Anteil der Einpersonenhaushalte heute bei 40 % aller Haushalte, in Großstädten sogar weit darüber. Besonders bei Menschen, die noch in der Ausbildung sind, und denen in der mittleren Altersgruppe hat das Singledasein seit den 1970er Jahren stark zugenommen. Bei anderen Altersgruppen ist kaum eine Veränderung oder sogar ein Rückgang der Einzelhaushalte zu beobachten. Für die Zunahme in den o.g. Gruppen gibt es verschiedene Gründe:

So sind die Ausbildungsphasen bis zum Eintritt in das Berufsleben deutlich länger geworden. Wer ohne Kinder lebt, kann das besser bewältigen. Außerdem erfordert der Beruf heutzutage hohe Mobilität. Gerade im mittleren Lebensalter führt das zu einem Anstieg von Fernbeziehungen mit getrennten Wohnungen.

Zudem wollen immer mehr Erwachsene kinderlos bleiben oder bevorzugen eine Partnerschaft, in der beide Partner in einem eigenen Haushalt leben.

Diese Entwicklung hat natürlich Auswirkungen auf die Gesellschaft. So steigen vor allem in Großstädten die Miet- und Kaufpreise für Immobilien, da immer mehr Menschen individuellen Lebensraum beanspruchen. Spezielle Reiseangebote für Singles, Partys für Singles, Singleportionen bei Lebensmitteln und Singlebörsen im Internet – das alles ist teuer und führt zu einem Anstieg der Lebenshaltungskosten. Aber Singles gelten als kaufkräftig und das ist gut für die Wirtschaft.

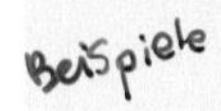

Quelle: Theo Winter, Abendblatt München

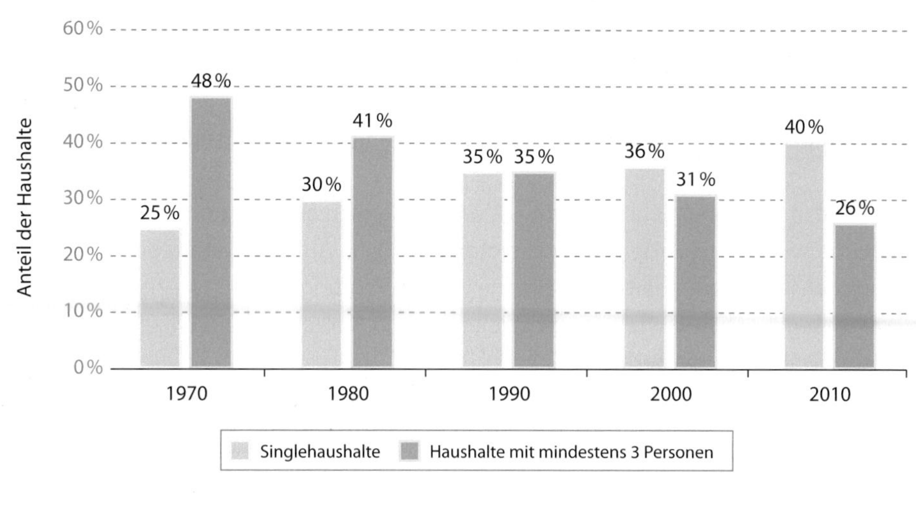

Deutschland; ab 16 Jahren; 1828 Befragte; 3. bis 15. Dezember 2011

Daten aus: Institut für Demoskopie Allensbach, 2012

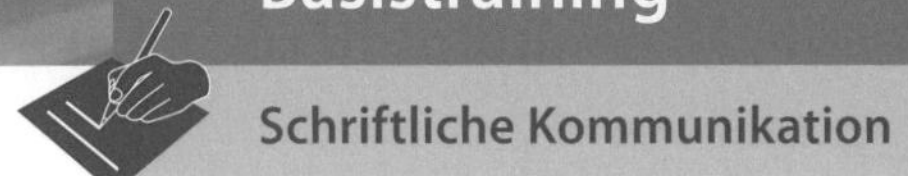

Schriftliche Kommunikation: Basistraining

Der Aufsatz auf dem Niveau B 2 / C 1 erfordert ein hohes Maß an verschiedenen Fähigkeiten:

Sie müssen sich mit einem vorgegebenen Thema gründlich auseinandersetzen, indem Sie:
- einen Sachtext verstehen und in strukturierter Form wiedergeben,
- eine Grafik verstehen und schriftlich auswerten,
- zu einem Thema argumentativ Stellung nehmen und Ihre Meinung dazu ausführlich begründen.

Im Folgenden lernen Sie in mehreren Schritten, wie Sie das erfolgreich machen können. Dabei erfahren Sie in erster Linie, wie Sie Ihre Arbeit sinnvoll einteilen und die Aufgaben strategisch geschickt bearbeiten. Die grammatische Korrektheit Ihrer Sprache wird im Prüfungstrainer nicht gezielt verbessert. Wenn Sie in diesem Bereich große Schwierigkeiten haben, sprechen Sie rechtzeitig mit Ihrem Lehrer / Ihrer Lehrerin. Er/Sie kann Sie beraten.

In den folgenden Arbeitsschritten geht es zunächst um die Vorarbeiten zum Aufsatz (Schritt 1 bis 7) und dann um die Ausformulierung Ihres Textes (Schritt 8 bis 11).

Schritt 1: Lesen Sie die Aufgabe und unterstreichen Sie das Thema.

Das Thema finden Sie immer im ersten Satz. Sie sollten es unterstreichen.

Übung 1

Lesen Sie die Aufgabe und unterstreichen Sie das Thema.

Schreiben Sie einen **zusammenhängenden Text** zum Thema „Singledasein". Bearbeiten Sie in Ihrem Text die folgenden drei Punkte:

- Arbeiten Sie wichtige Aussagen aus dem Text heraus.
- Werten Sie die Grafik anhand von wichtigen Daten aus.
- Nehmen Sie in Form einer ausgearbeiteten Argumentation ausführlich zum Thema „Singledasein" Stellung.

Die Reihenfolge, in der Sie die Aufgaben zum Thema behandeln, ist nicht vorgeschrieben. Sie können zum Beispiel auch den Text und die Grafik(en) in einem gemeinsamen Text auswerten und zusammenfassen. Aber das ist manchmal schwierig und kann dazu führen, dass Sie wichtige Informationen aus dem Text oder der Grafik / den Grafiken in Ihrer Darstellung vergessen.

Es empfiehlt sich daher, die Aufgaben in der vorgegebenen Reihenfolge zu bearbeiten. Denken Sie immer daran, dass Sie einen zusammenhängenden Aufsatz schreiben müssen, in dem die genannten Teile thematisch aufeinander bezogen sind. Deswegen ist es auch wichtig, zwischen den einzelnen Teilen sprachliche Überleitungen zu schaffen, die diese Teile sinnvoll miteinander verbinden.

Schritt 2: Klären Sie unbekannte Wörter im Text.

Die sprachlichen Strukturen der Texte sind in diesem Prüfungsteil meist relativ leicht zu verstehen. Schwierig ist eher das Vokabular, weil die meisten Texte viele Informationen enthalten, die manchmal auch sehr speziell sind.

Benutzen Sie möglichst das einsprachige Wörterbuch, wenn Sie nachschlagen müssen. Das einsprachige Wörterbuch hat für Sie den Vorteil, dass nicht nur die Bedeutung eines unbekannten Wortes erklärt wird, sondern dass Sie gleichzeitig Synonyme und Umschreibungen bekommen, die Sie in Ihrem eigenen Text verwenden können.

Benutzen Sie das zweisprachige Lexikon nur dann, wenn Sie unsicher sind oder mit einer Textstelle gar nicht klarkommen oder wenn Sie überprüfen wollen, ob Sie etwas richtig verstanden haben.

MEMO

Unbekannte Wörter möglichst mit einem einsprachigen Lexikon klären.

Übung 2

Gehen Sie zum Übungstest auf Seite 72 und lesen Sie den Text. Klären Sie unbekannte Wörter.

Schritt 3: Markieren Sie wichtige Informationen im Text.

Der vorgegebene Text enthält meistens nur Sachinformationen, er enthält keine Meinung des Autors / der Autorin. Manchmal wird aber gesagt, was andere Menschen zu dem Thema meinen oder denken.

Normalerweise hat jeder Text fünf Abschnitte mit je zwei relevanten Aussagen. Mindestens eine Aussage pro Abschnitt müssen Sie richtig zusammenfassen, um die höchste Punktzahl zu erreichen.

Übung 3

Gehen Sie zum Übungstest auf Seite 72 und markieren Sie die wichtigen Informationen.

Schritt 4: Bestimmen Sie den Stellenwert der markierten Aussagen.

Wenn Sie die wichtigen Aussagen im Text später richtig zusammenfassen wollen, müssen Sie sich auch überlegen, welchen Stellenwert sie im Text haben. Bei den Texten, die in diesem Prüfungsteil vorkommen, geht es meistens um folgende Stellenwerte:

- Feststellungen/Beobachtungen
- Gründe
- Zahlen/Fakten
- Folgen/Konsequenzen
- Beispiele

Durch die Bestimmung der Stellenwerte erkennen Sie die logische Struktur des Textes. Danach ist es relativ einfach, ihn zusammenzufassen.

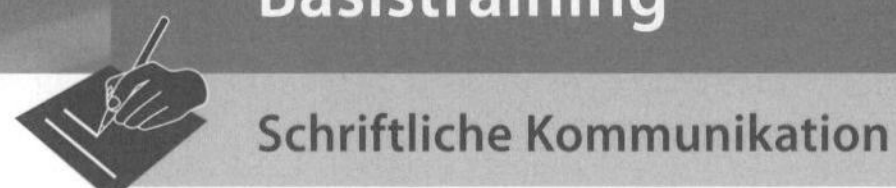

Übung 4

Gehen Sie zum Übungstest auf Seite 72 und notieren Sie am Rand, welchen Stellenwert die markierten Stellen jeweils haben.

Unter der Struktur des Textes versteht man die logische Verbindung der Inhalte, also die Abfolge von Feststellungen/Beobachtungen, Gründen, Zahlen/Fakten, Folgen/Konsequenzen und Beispielen. Diese Struktur sollte in Ihrer Textwiedergabe sichtbar werden. Wie das geht, erfahren Sie in Schritt 9.

Mit etwas Übung können Sie das Unterstreichen der wichtigen Informationen (Schritt 3) und die Bestimmung ihrer Stellenwerte (Schritt 4) auch in einem Arbeitsschritt erledigen.

Für die Vorarbeiten am Text (Schritt 1 bis 4) sollten Sie in der richtigen Prüfung nicht mehr als fünf Minuten verwenden. Hier im Basistraining können Sie sich aber so viel Zeit lassen, wie Sie benötigen, um den Text genau zu verstehen.

Schritt 5: Werten Sie die Grafik aus.

Das visuelle Material ist meistens statistisches Material, das grafisch auf unterschiedliche Art angeboten wird. Hier im Prüfungstrainer sprechen wir grundsätzlich von „Grafik".

Manchmal gibt es eine Grafik zum Text, meistens sind es aber zwei. Sie enthalten weitere Informationen zum Thema. Die Daten der Grafik(en) erlauben immer zwei oder mehr ausführliche Vergleiche. Davon müssen Sie mindestens zwei ausführen.

MEMO
Immer mindestens zwei Vergleiche ausführen.

Eine vollständige Auswertung aller Daten wird nicht verlangt. Es reicht, wenn Sie die Daten richtig wiedergeben. Sie müssen sie nicht interpretieren. Wenn Sie das machen wollen, kann es aber positiv bewertet werden.

Die Informationen in den Grafiken bestehen fast immer aus Zahlen. Sie werden in unterschiedlichen Formen präsentiert. In unserem Beispiel ist es ein sogenanntes Säulendiagramm. Andere häufige Diagrammformen sind Kurvendiagramme, Kuchendiagramme oder Balkendiagramme.

Um die Grafik richtig auszuwerten, sollten Sie zuerst die wichtigen Zahlen markieren. Wenn es Ihnen sinnvoll erscheint, können Sie auch Anmerkungen zu den Zahlen machen.

MEMO
Wichtige Zahlen markieren und kommentieren, wo sinnvoll.

Übung 5

Markieren Sie in der Grafik (S. 77) weitere wichtige Zahlen. Ergänzen Sie Anmerkungen, wo es sinnvoll erscheint.

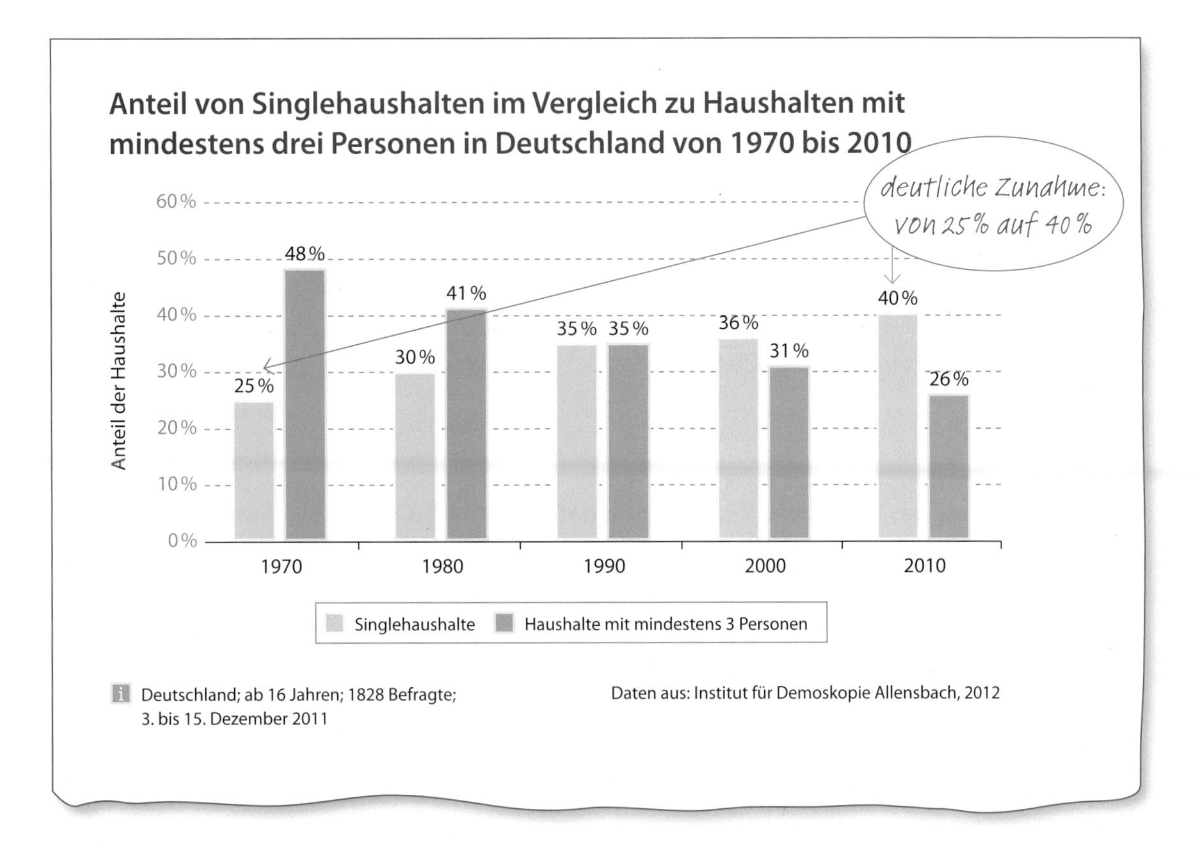

Bei der Auswertung einer Grafik geht es immer darum, die Diagramme und Zahlen richtig zu lesen und ihre Bedeutung zu verstehen. Das hat nur sehr wenig mit der Sprache zu tun, in der die Grafik beschriftet ist. Aus diesem Grund können Sie die Interpretation von Grafiken auch an Darstellungen üben, die in Ihrer eigenen Sprache beschriftet sind. Das Entscheidende bei den Grafiken ist die inhaltliche Information, die mit den Zahlen verbunden ist. Diesen inhaltlichen Zusammenhang müssen Sie in Ihren Worten beschreiben.

MEMO

Immer den inhaltlichen Zusammenhang von Zahlen und Fakten beschreiben.

Für die Vorarbeiten an der Grafik / den Grafiken sollten Sie in der richtigen Prüfung nicht mehr als fünf Minuten verwenden.

Schritt 6: Erstellen Sie eine geordnete Stoffsammlung.

Nach den Vorarbeiten zu Text und Grafik müssen Sie nun Ihre persönliche Stellungnahme vorbereiten.

- Nehmen Sie in Form einer ausgearbeiteten Argumentation ausführlich zum Thema „Singledasein" Stellung.

MEMO

Nicht sofort für pro oder contra entscheiden.

Entscheiden Sie sich **nicht** sofort für pro oder contra. Notieren Sie erst einmal alles, was Ihnen spontan zum „Singledasein" einfällt:

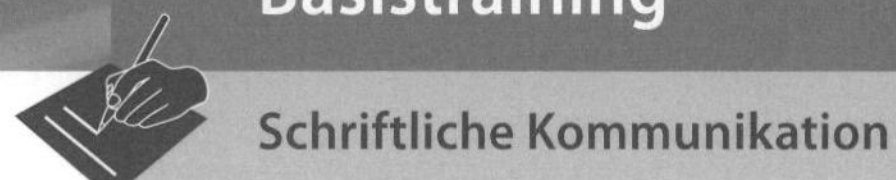

- Behauptungen/Aussagen zum Thema (auch solche, die **nicht** Ihrer eigenen Auffassung entsprechen),
- Fakten, Zahlen, konkrete Beispiele (die z. B. aus den Medien allgemein bekannt sind),
- Informationen aus dem Text oder der Grafik, die Sie ausgewertet haben, oder aus anderen Quellen, die Sie kennen (z. B. aus Büchern, Zeitungen, Fernsehen, Unterricht u. ä.),
- Vorschläge für Alternativen oder einen möglichen Kompromiss.

Ordnen Sie diese Einfälle nach Vor- und Nachteilen. Was nicht zu pro oder contra passt, können Sie unter *Sonstiges* zusammenfassen. Verwenden Sie möglichst nur Stichwörter, das spart Zeit.

MEMO
Vor- und Nachteile sowie Sonstiges in einer Tabelle ordnen.

Übung 6

Sammeln Sie alles, was Ihnen zum Thema „Singledasein" einfällt. Ordnen Sie diese Ideen in die Tabelle ein. Verwenden Sie Stichwörter.

Vorteile / pro	Nachteile / contra	Sonstiges
- mennhzt mehr Freiheit	- die kosten steigen	

Wenn Sie mehr Informationen zum Thema brauchen, schauen Sie noch einmal im Text und in der Grafik nach. Dort finden Sie meistens Informationen, die sich gut in Ihrer Argumentation verwenden lassen.

MEMO
Eventuell auch Informationen aus Text oder Grafik(en) verwenden.

Außerdem können Sie das Thema durch W-Fragen weiter erschließen, zum Beispiel so:

- Warum leben Singles hauptsächlich in Großstädten?
- Wer lebt als Single? Warum diese Bevölkerungsgruppe?
- Wie leben Singles? Warum so?
- Warum gibt es immer mehr Singles in Deutschland?
- Warum leben viele Menschen als Single?

MEMO
Das Thema eventuell durch W-Fragen weiter erschließen.

Aus den Antworten lassen sich weitere Vor- und Nachteile des Singledaseins ableiten.

Für die Erstellung der Stoffsammlung sollten Sie nicht mehr als 15 Minuten verwenden.

Schritt 7: Erstellen Sie eine Gliederung für Ihre Stellungnahme.

Wenn Sie die Gliederung erstellen, müssen Sie zuerst entscheiden, welche These Sie in Ihrer persönlichen Stellungnahme vertreten wollen. Stellen Sie sich dazu drei Fragen:

- Bin ich (eindeutig) dafür, dass ...?
- Bin ich (eindeutig) dagegen, dass ...?
- Gibt es eine Alternative, einen Lösungsvorschlag, die/den ich für richtig/besser halte?

Wenn Sie eindeutig für das Singledasein sind, können Sie folgende These aufstellen:

These: *Das Leben als Single hat vor allem Vorteile.*

Die Formulierung Ihrer These zeigt, dass die Vorteile Ihrer Meinung nach deutlich überwiegen („vor allem Vorteile"). Sie weist aber auch darauf hin, dass es Nachteile gibt.

Übung 7

Formulieren Sie eine These, in der Sie sich grundsätzlich gegen das Singledasein aussprechen.

Auch wenn Sie eine klare Position zu einer Frage haben, gibt es immer Argumente, Fakten, Beispiele, die für die Gegenmeinung sprechen. Es ist sinnvoll, das schon bei der Formulierung der These anzudeuten und vor allem bei der Ausformulierung (ab Schritt 8) zu berücksichtigen.

Wenn Sie nicht eindeutig für oder gegen das Singledasein sind, könnten Sie auch eine These formulieren, in der eine Alternative angedeutet wird, z. B. so:

These: *Trotz vieler Vorteile ist das Singledasein sicher keine Lebensform für das ganze Leben.*

> **MEMO**
> *These formulieren: pro/contra oder Alternative.*

Übung 8

Beschreiben Sie kurz die Alternative, die in dieser These angedeutet wird.

Nachdem Sie Ihre These (pro/contra oder Alternative) formuliert haben, müssen Sie in einem logisch entwickelten Gedankengang zeigen, dass sie richtig ist. Dafür brauchen Sie gute Gründe.

Viele Begründungen, die für eine These sprechen, finden Sie in der Stoffsammlung, andere müssen Sie vielleicht noch finden, wenn Sie sich genauer mit Ihrer These befassen. Die erste Begründung zu einer These könnte z. B. so lauten:

> **MEMO**
> *Begründungen für These aus der Stoffsammlung entnehmen oder frei ergänzen.*

These: *Das Singledasein hat vor allem Vorteile.*

DENN:

Begründung (1): *Ein Single ist frei und unabhängig.*

Zwischen These und Begründung besteht immer ein kausaler Zusammenhang. Bei der Suche nach guten Begründungen können Sie das überprüfen, indem Sie die beiden Aussagen mit „denn" oder „weil" verbinden.

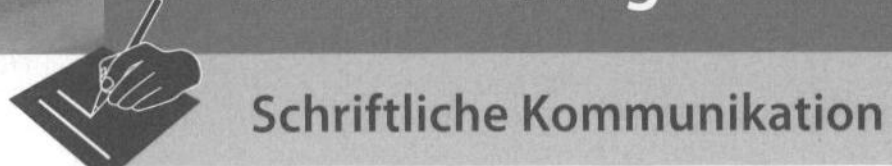

Übung 9

Notieren Sie drei weitere Begründungen aus Ihrer Stoffsammlung oder finden Sie neue. Überprüfen Sie jeweils den kausalen Zusammenhang.

These: *Das Singledasein hat vor allem Vorteile.*

Begründung (1): *Ein Single ist frei und unabhängig.*

→ flexibilität → mobilität

Begründung (2): Mench kann schnell umziehen oder irgendwo hinreisen (für Beruf)

→ mehr zeit für sich

Begründung (3): Mench kann sich besser auf seiner Ausbildung ~~oder~~ auf seinem Beruf conzentrieren

Begründung (4): ______

Wie Sie sicher bemerkt haben, eignet sich nicht alles, was in der Stoffsammlung steht, als Begründung für eine These. Gute Begründungen erkennen Sie daran, dass Sie dazu einige Fakten, möglichst auch konkrete Zahlen und evtl. ein allgemein bekanntes Beispiel kennen, also konkrete Informationen, die man nachprüfen kann. Diese nennt man Belege. Je mehr Belege Sie zu einer Begründung finden, desto besser eignet sie sich. Hier ein Beispiel:

> **MEMO**
> *Begründungen mit Belegen stützen.*

These: *Das Singledasein hat vor allem Vorteile.*

Begründung (1): *Ein Single ist frei und unabhängig.*

Belege: *Ein Single hat viel Freiraum zur Gestaltung des Lebens.*
Absprachen mit Lebenspartner/ Ehepartner sind nicht nötig.
Spontane Entscheidungen sind einfacher.
Ein Single hat weniger familiäre Verantwortung.

In diesem Fall sind die Belege allgemein bekannte Tatsachen aus dem Erfahrungsbereich (junger) erwachsener Menschen. Sie sind überzeugend, weil jeder Mensch auf Grund seiner eigenen Erfahrung verstehen kann, dass sie richtig sind.

In den Beispielen, die wir bisher angeschaut haben, wurden These, Begründung(en) und Belege in kurzen Sätzen ausformuliert. Sie können stattdessen auch Stichworte verwenden. Wenn Sie nur Stichworte verwenden, entsteht eine einfache Gliederung:

> **MEMO**
> *In der Gliederung nur Stichworte verwenden.*

Gliederung:

These: Singledasein: mehr Vor- als Nachteile

Begründung (1): Freiheit und Unabhängigkeit
Belege: …

Begründung (2): hohe materielle Lebensqualität
Belege: …

Begründung (3): Vorteile in Ausbildung und Beruf
Belege: ...

Begründung (4): ______________________________
Belege: ...

Übung 10

Vervollständigen Sie die oben stehende Gliederung. Verwenden Sie nur Stichworte.

Zu jeder These gibt es mehrere Begründungen. Jede Begründung muss durch mehrere Belege gestützt und durch eine Schlussfolgerung abgeschlossen werden.

Eine Folge von These, Begründung, Beleg(en) und Schlussfolgerung nennt man ein ausgestaltetes oder ein entfaltetes Argument.

ausgestaltetes/entfaltetes Argument

(These +) Begründung + Belege(e) (+ Schlussfolgerung)

Die Schlussfolgerung beendet normalerweise ein ausgestaltetes Argument. Sie kann aber auch mehrere aufeinander folgende Argumente abschließen. Sie zeigt, dass die Begründung für die These mit Fakten, Beispiel(en) etc. belegt werden kann und dass die ausgestalteten Argumente tatsächlich schlüssig sind. Die Schlussfolgerung enthält keine neuen Informationen. Sie rundet den Gedankengang ab, der in einem ausgestalteten Argument formuliert wird.

These: Singledasein: mehr Vor- als Nachteile

Begründung (1):	Freiheit und Unabhängigkeit – Belege	ausgestaltetes Argument (1)
Begründung (2):	hohe materielle Lebensqualität – Belege – Schlussfolgerung (zu 1 und 2)	ausgestaltetes Argument (2)
Begründung (3):	Vorteile in Ausbildung und Beruf – Belege – Schlussfolgerung (zu 3)	ausgestaltetes Argument (3)
Begründung (4):	Möglichkeit zur Selbstverwirklichung – Belege – Schlussfolgerung (zu 1–4)	ausgestaltetes Argument (4)

Achten Sie darauf, dass Ihre Begründungen stets so geordnet sind, dass das für Sie wichtigste ausgestaltete Argument am Ende steht.

In Schritt 11 erfahren Sie, wie die einzelnen Argumente aus Ihrer Gliederung sprachlich ausgestaltet werden können.

MEMO

Die ausgestalteten Argumente nach Wichtigkeit ordnen.

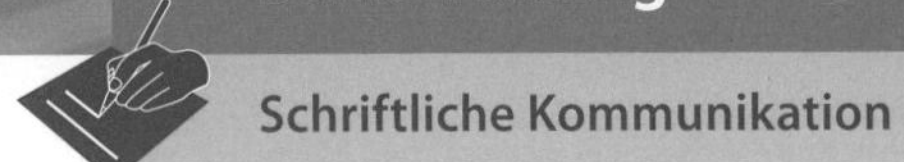

Übung 11

Nehmen wir an, Sie vertreten folgende These: *Das Singledasein hat vor allem Nachteile.* Erstellen Sie zu dieser These eine Gliederung wie oben beschrieben.

Für die Erstellung der einfachen Gliederung sollten Sie in der richtigen Prüfung nicht mehr als 20 Minuten aufwenden. Hier im Basistraining können Sie sich so viel Zeit lassen wie nötig.

Schritt 8: Formulieren Sie die Einleitung zum gesamten Aufsatz.

Die Einleitung sollte kurz sein und das Thema benennen, in unserem Beispiel das „Singledasein". Mit der Einleitung sollen Sie das Interesse und die Neugier des Lesers / der Leserin wecken.

Dazu eignet sich am besten ein aktuelles Ereignis, das mit dem Thema zu tun hat. Es ist auch möglich, einen historischen Vergleich (früher/heute) oder einen Vergleich zwischen Ihrem Land und Deutschland zu ziehen. Es ist zum Beispiel gut möglich, dass in Ihrem Land Singlehaushalte kaum vorkommen, während es in Deutschland immer mehr davon gibt. Vor allem, wenn der Themabegriff ungewöhnlich ist, können Sie auch mit einer Definition/Erklärung des Begriffs beginnen.

MEMO
In der Einleitung das Thema nennen und Interesse wecken.

In der Einleitung sollten Sie nicht nur das Thema ansprechen, sondern auch auf Ihre Stellungnahme vorbereiten. Dafür eignen sich zum Beispiel folgende Formulierungen:

Vorbereitung auf die Stellungnahme:

- Das / Diese Überlegungen führt/führen zu der Frage, … Mit dieser Frage werde ich mich in meiner Stellungnahme genauer befassen.
- Daraus ergibt sich die Frage, welche Vor- und Nachteile … Damit möchte ich mich in meiner Stellungnahme genauer befassen.
- In meiner Stellungnahme möchte ich mich später ausführlich mit der Frage befassen, …
- Unter diesen Umständen muss man sich die Frage stellen, … Darauf werde ich genauer in meiner Stellungnahme eingehen.

MEMO
Am Ende der Einleitung auf die Stellungnahme hinweisen.

Übung 12

Welche Einleitung finden Sie am besten? Begründen Sie Ihre Entscheidung.

A ☐ In Deutschland gibt es immer mehr Einpersonenhaushalte. Das sind „Familien", die aus einer Person bestehen. Also eigentlich keine richtigen Familien. Für mich ist das unvorstellbar. Wenn ich einmal älter bin, möchte ich heiraten und Kinder haben. Alleine zu leben muss schrecklich langweilig sein. Hier bei uns ist so etwas unmöglich.

B ☐ Früher haben die jungen Leute so lange bei ihren Eltern gewohnt, bis sie geheiratet haben. Heute gibt es immer mehr junge Menschen, die schon früh von zu Hause weggehen und alleine wohnen. Das ist auch bei uns immer öfter zu beobachten. Aber in Deutschland ist diese Mode noch viel stärker. Dort gibt es immer mehr Menschen, die alleine wohnen. Das ist natürlich ein interessantes Thema, auf das ich in meiner Erörterung genauer eingehen möchte.

 „Single" ist ein englisches Wort. Es heißt „einzeln" oder „allein". Singles sind Menschen, die allein leben. Davon gibt es in Deutschland immer mehr. Ich habe einen Freund, der alleine lebt. Er ist schon ein paar Jahre älter als ich und hat eine kleine Wohnung in der Stadt. Wenn ich mit der Schule fertig bin, will ich auch alleine leben wie mein Freund. Diese Lebensform hat mich schon immer interessiert. Ich werde mich damit jetzt genauer befassen.

D  In Deutschland gibt es immer mehr Singles, also Menschen, die alleine leben. Anders als bei uns verlassen junge Leute schon früh das Haus ihrer Eltern und leben in Wohngemeinschaften oder alleine. Aber auch Menschen, die bei uns wahrscheinlich schon verheiratet wären, ziehen es vor in einem Singlehaushalt zu leben und Karriere zu machen. Dies führt zu der Frage, warum immer mehr Menschen diese Lebensform wählen und welche Vor- oder Nachteile damit verbunden sind. Mit dieser Frage werde ich mich in meiner Stellungnahme genauer befassen.

Eine gute Einleitung ist sehr wichtig. Lassen Sie sich dafür etwas Zeit, aber nicht mehr als zehn Minuten. Wenn Ihnen nicht gleich etwas einfällt, lassen Sie Platz für die Einleitung und beginnen Sie erst einmal mit der Wiedergabe des Textes. Aber vergessen Sie nicht, später die Einleitung zu ergänzen.

Schritt 9: Formulieren Sie die Wiedergabe des Textes.

In den Schritten 2 bis 5 haben Sie die Informationen aus Text und Grafik herausgearbeitet. Im Folgenden üben Sie, diese Informationen in strukturierter Form wiederzugeben und die einzelnen Abschnitte sprachlich sinnvoll miteinander zu verknüpfen. Wenn Sie beispielsweise Ihre Einleitung mit diesem Satz beenden:

... Über dieses Thema wird natürlich auch in der Presse in Deutschland berichtet.

Dann beginnen Sie die strukturierte Textwiedergabe zum Beispiel so:

So stellt Theo Winter in einem Artikel im Abendblatt München vom Mai 2014 fest, dass insbesondere bei jüngeren Menschen und solchen in mittlerem Alter eine deutliche Zunahme von Singlehaushalten zu beobachten ist. Wie der Autor schreibt, ist das darauf zurückzuführen, dass ...

Die Beschreibung der Stellenwerte (vgl. Unterstreichungen) ist wichtig, da sie einen Eindruck von der logischen Struktur des wiedergegebenen Textes vermittelt.

MEMO

Überleitung zur Textwiedergabe nicht vergessen.

MEMO

Die logische Struktur des Textes beschreiben.

Besonders bei Menschen, die noch in der Ausbildung sind, und denen in der mittleren Altersgruppe hat das Singledasein seit den 1970er Jahren stark zugenommen.	*Feststellung*
Dafür gibt es verschiedene Gründe: So sind die ...	*Begründungen*

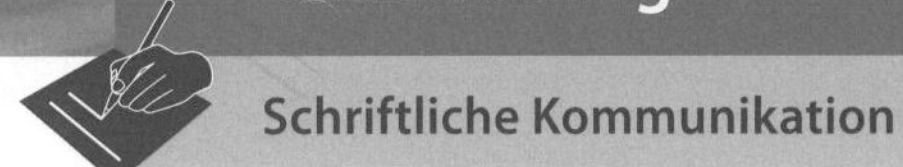

Eine genaue Quellenangabe zu Beginn der Textwiedergabe ist ausreichend, um klarzumachen, dass die Inhalte aus einem bestimmten Text und von einem Autor / einer Autorin stammen und nicht von Ihnen.

MEMO

Quellenangabe zu Beginn der Textwiedergabe einfügen.

Es ist trotzdem sinnvoll, während der Textwiedergabe gelegentlich strukturierende Wendungen einzufügen, die auf den Autor / die Autorin verweisen. Der Name muss dabei nicht unbedingt wiederholt werden.

MEMO

In der Textwiedergabe gelegentlich wieder auf den Autor / die Autorin verweisen.

Übung 13

a Gehen Sie zum Übungstest auf Seite 72 und fassen Sie den gesamten Text so zusammen, wie oben beschrieben. Verwenden Sie die vorgegebenen sprachlichen Mittel oder ähnliche Formulierungen:

Überleitung zur Textwiedergabe:
- In einem Artikel (Quelle) berichtet der Autor / die Autorin (Name) über dieses Thema.
- Dass dieses Thema in der Öffentlichkeit diskutiert wird, zeigt folgender Bericht/Artikel aus (Quelle).
- Über dieses Thema berichtet natürlich auch die Presse in Deutschland.

Quellenangabe:
- Wie in dem Text (Titel) von (Name des Autors / der Autorin) in/im (Quelle) gesagt wird, …
- Wie der Autor / die Autorin (Name) in seinem/ihrem Text (Titel) vom (Datum) in/im (Quelle) zeigt, …
- Aus dem Text (Titel) vom (Datum) in (Quelle) ist zu entnehmen, dass …
- Aus dem Text (Titel) vom (Datum) in (Quelle) geht hervor, dass … Der Autor / Die Autorin (Name) führt weiter aus, dass …

Textwiedergabe/Strukturierung:
- Im Folgenden wird weiter berichtet/gesagt/ausgeführt, dass …
- Wie der Autor / die Autorin (evtl. Name) weiter darlegt, ist das darauf zurückzuführen, dass …
- Der Text / Der Autor / Die Autorin macht deutlich, dass …
- An dem Beispiel kann man erkennen, dass …
- Das Beispiel zeigt, dass …
- Am Beispiel eines/einer (…) zeigt der Autor / die Autorin, dass …
- Nach Meinung des Autors / der Autorin ist dies darauf zurückzuführen, dass …

b Lesen Sie Ihre Textwiedergabe noch einmal und unterstreichen Sie alle Formulierungen, mit denen Sie die Stellenwerte der Inhalte beschrieben haben.

Wie die Lösung zu dieser Aufgabe zeigt, ist es nicht notwendig, jeden einzelnen Inhalt genau mit seinem Stellenwert zu bezeichnen. Oft reicht schon eine passende Konjunktion wie zum Beispiel „weil" oder „obwohl", ein Adverb wie „deswegen" oder eine andere Formulierung wie „aus diesem Grund", um den Stellenwert des Inhalts klar genug zum Ausdruck zu bringen. Wichtig ist, dass Ihre Leser die logische Struktur des Textes nachvollziehen können.

Außerdem müssen Sie bei der Wiedergabe der Inhalte darauf achten, dass Sie selbstständig formulieren. Wichtige Begriffe aus dem Text dürfen Sie natürlich verwenden, aber auf keinen Fall sollten Sie (längere) Formulierungen aus dem Text wörtlich übernehmen. Auch deswegen ist es wichtig, bei der Arbeit mit dem Text das einsprachige Wörterbuch zu verwenden.

MEMO

Formulierungen aus dem Text nicht wörtlich übernehmen.

Übung 14

Lesen Sie noch einmal Ihre Textwiedergabe aus Übung 13. Verbessern Sie Stellen, an denen Sie den Text wörtlich wiedergegeben haben.

Für die Ausformulierung der Textwiedergabe sollten Sie möglichst nicht mehr als 15 Minuten verwenden.

Schritt 10: Formulieren Sie die Auswertung der Grafik.

Im Folgenden lernen Sie, die Auswertung der Grafik zu formulieren. Die sprachlichen Mittel, die Sie dafür benötigen, sind ähnlich wie bei der Wiedergabe des Textes. Vergessen Sie nicht, diesen Abschnitt durch eine geeignete Überleitung einzuleiten.

MEMO

Überleitung zur Auswertung der Grafik nicht vergessen.

Übung 15

Gehen Sie zum Übungstest auf Seite 73 und beschreiben Sie in Ihren Worten die Informationen in der Grafik. Achten Sie auf die Überleitung.

Überleitung zur Grafik und Quellenangabe:

- Zu diesem Thema gibt es auch statistische Untersuchungen. Wie aus einer Statistik (Quelle, Datum) hervorgeht, …
- In einer Statistik des/der (Quelle) aus dem Jahr (Erscheinungsjahr) wird gezeigt, wie … Die Zahlen belegen, welche Bedeutung dieses Thema in Deutschland hat.
- Die oben beschriebene(n) Zusammenhänge/Entwicklung(en) kann/können auch durch Zahlen belegt werden. Wie aus einer Statistik des/der (Quelle) vom (Datum) hervorgeht, …

Auswertung der Grafik:

- Wie die Grafik zeigt, …
- Aus der Grafik geht hervor, dass …
- Außerdem zeigt/belegt die Grafik, dass …
- Die Zahlen zeigen/belegen (eindeutig), dass …
- Aus der Grafik kann man auch ableiten, dass …
- Bei einem Vergleich der beiden Grafiken sieht man / zeigt sich, dass …
- Während Grafik 1 … zeigt, belegt die zweite Grafik, dass …
- Vergleicht man die Angaben in beiden Grafiken, sieht/erkennt man, dass …

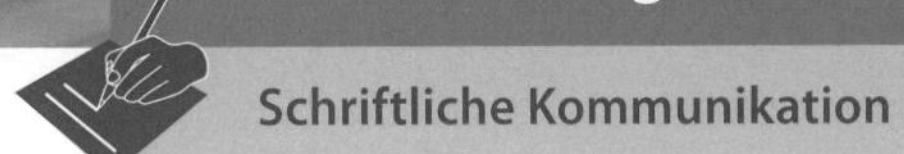

Bei der Beschreibung der Grafik(en) kommt es nicht auf Vollständigkeit an. In der Regel sollten Sie aus der Grafik / den Grafiken aber mindestens zwei Vergleiche ableiten und möglichst genau beschreiben. Lesen Sie dazu noch einmal Schritt 5 auf Seite 76.

Übung 16

Lesen Sie noch einmal Ihre Auswertung der Grafik (Übung 15). Streichen Sie Stellen, die sich nicht direkt auf das Thema beziehen. Achten Sie darauf, dass Ihr Text mindestens zwei ausgeführte Vergleiche enthält.

Für die schriftliche Auswertung der Grafik(en) einschließlich der Überleitung zum nächsten Teil sollten Sie in der richtigen Prüfung nicht mehr als zehn Minuten aufwenden.

Schritt 11: Formulieren Sie Ihre Stellungnahme.

Nachdem Sie den Text zusammengefasst und die Grafik ausgewertet haben, sollten Sie zu Ihrer Stellungnahme überleiten.

MEMO
Überleitung zum argumentativen Teil der Stellungnahme nicht vergessen.

Übung 17

Ergänzen Sie im Anschluss an Ihre Auswertung der Grafik (Übung 15 und 16) eine Überleitung zu Ihrer geplanten Stellungnahme. Achten Sie auf die sprachlichen Mittel:

Überleitung zum argumentativen Teil
- Der Artikel aus (Quelle) und die Statistik aus (Quelle) zeigen, wie wichtig das Thema … (geworden) ist.
- Wie eingangs schon erwähnt, wird das Thema (in Deutschland) seit Jahren in der Öffentlichkeit diskutiert. Deswegen möchte ich mich im Folgenden ausführlich mit der Frage befassen, …
- Im Folgenden möchte ich mich nun mit den Vor- und Nachteilen von … auseinandersetzen.
- Die Diskussion dieses Themas in der Presse/Öffentlichkeit zeigt meines Erachtens, dass es nicht einfach ist, eindeutig für oder gegen (Thema wiederholen) zu sein. Ich möchte daher einen Lösungsvorschlag / eine Alternative beschreiben und begründen.

Die nachfolgende Stellungnahme sollten Sie in zwei Teilen entwickeln: Im ersten Teil entfalten Sie die Argumente, mit denen Sie Ihre These begründen wollen, im zweiten Teil formulieren Sie Ihre persönliche Meinung zum Thema und einen Schlussgedanken:

Argumentativer Teil: Erörterung von Vor- und Nachteilen
Schlussteil: Persönliche Meinung mit Schlussgedanken

In unserem Beispiel geht es dabei um folgende mögliche Thesen:

These 1: *Das Singledasein hat vor allem Vorteile.*
These 2: *Das Singledasein hat vor allem Nachteile.*
These 3: *Trotz vieler Vorteile ist das Singledasein keine Lebensform für das ganze Leben.*

Im ersten Teil Ihrer Stellungnahme schreiben Sie einen argumentativen Text. In der Vorbereitung Ihrer Argumentation haben Sie bereits eine Struktur kennen gelernt, die typisch für argumentative Texte ist.

Übung 18

Lesen Sie noch einmal, was zu „ausgestalteten Argumenten" in Schritt 7 gesagt wird.

In einem argumentativen Text müssen Sie also jeden Gedankengang so ausarbeiten, dass er (in der Regel) folgende Elemente enthält:

- (Die These)
- eine Begründung (z. B. aus dem vorgegebenen Text),
- ein allgemein bekanntes Beispiel (z. B. aus den Medien),
- Fakten (z. B. aus dem Text oder der Grafik),
- (eine Schlussfolgerung).

Weder These noch Schlussfolgerung müssen zwingend in jedem ausgestalteten Argument vorkommen. Wichtig ist aber, dass Sie auf die Stellenwerte der Inhalte achten.

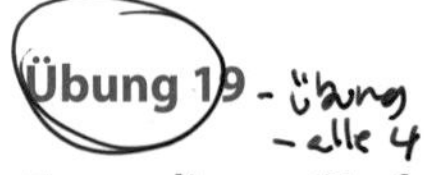

Übung 19

Formulieren Sie folgenden Gedankengang aus. Achten Sie dabei auf die Stellenwerte der Inhalte.

These:	Singledasein: mehr Vor- als Nachteile
Begründung:	bessere Position im Berufsleben als Menschen in festen Partnerschaften
Belege:	– flexibel, ungebunden, daher konkurrenzfähiger gegenüber Mitbewerbern
	– rascher Wechsel des Arbeitsplatzes möglich: höheres Einkommen
	– Mobilität/Flexibilität: Voraussetzung für bestimmte Berufe (Außendienst, Flugbegleiter, Piloten)
	– interessante Arbeitsplätze im Ausland (besser bezahlt als im Inland)
Schlussfolgerung:	– sinnvoll, als Single zu leben (zumindest im Berufsalter)

Die Reihenfolge der Inhalte ist nicht festgelegt. Sie können zum Beispiel mit Fakten (aus der Grafik) beginnen, diese mit einem Beispiel veranschaulichen, daraus eine Behauptung ableiten und sie begründen. Wenn Sie dann noch eine Schlussfolgerung ziehen, ist der Gedankengang komplett, das Argument ausgestaltet.

> **MEMO**
> *Auf die logische Struktur jedes Gedankengangs achten.*

Übung 20

Bearbeiten Sie das ausgestaltete Argument aus Übung 19, indem Sie die Reihenfolge der Inhalte verändern.

Sinnvoll ist es auch, einen besonders wichtigen Vor- oder Nachteil für den Schlussteil aufzubewahren. Damit können Sie im letzten Teil Wiederholungen vermeiden.

Da die Zeit recht begrenzt ist, müssen Sie sich bei der Formulierung Ihres Aufsatzes auf das Wesentliche beschränken. Es kann sein, dass Sie in der Stoffsammlung mehr zusammengestellt haben, als Sie dann im Aufsatz verwerten können. Achten Sie gut auf die Zeiteinteilung.

> **MEMO**
> *Einen besonders wichtigen Punkt für den Schlussteil aufbewahren.*

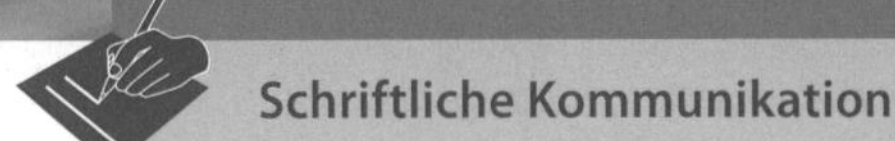

Und noch etwas zum Thema Argumentieren: Wenn Sie immer nur Argumente verwenden, die Ihre These direkt stützen, wird das für den Leser / die Leserin langweilig. Außerdem können Sie so nicht die höchste Punktzahl erreichen. Beginnen Sie daher mehrere ausgestaltete Argumente mit einem „Gegenargument", d. h. mit einer Behauptung, die Ihrer These eigentlich widerspricht. Zeigen Sie dann durch einen *Vergleich der Belege*, dass diese Begründung nicht überzeugend ist, z. B. so:

MEMO
Mehrere Argumente mit einem Gegenargument beginnen.

Gegenargument: *Es wird immer wieder behauptet, dass das Singledasein Vorteile im Berufsleben mit sich bringt.*
Überleitung: *Ich sehe das ganz anders.*
Vergleich der Belege: *Es mag schon sein, dass man als Single relativ flexibel ist und vielleicht auch einen hoch bezahlten Beruf ergreifen kann, der mit viel Mobilität verbunden ist. Aber das ist meines Erachtens nicht entscheidend. Was nützt mir ein hohes monatliches Einkommen als Pilot, wenn ich dafür entweder ganz auf eine Familie verzichten muss oder …*

MEMO
Das Gegenargument durch einen Vergleich der Belege entkräften.

Übung 21

Setzen Sie den oben begonnenen Vergleich der Belege fort und gestalten Sie das Argument so aus, dass es mit einer Schlussfolgerung endet.

Es ist also wichtig, schon in der Stoffsammlung auch Argumente gegen Ihre eigene Meinung zu sammeln, auch wenn Sie eine ganz klare Position pro oder contra vertreten. Dann können Sie bei der Ausformulierung Ihrer Argumentation abwechslungsreicher und eleganter argumentieren und leichter die höchste Punktzahl erreichen.

Formulieren Sie, wenn Sie Gegenargumente einsetzen, nicht zu emotional. Auch wenn es schwierig ist, alle Belege immer ganz sachlich miteinander zu vergleichen, sollten Sie doch den Eindruck vermeiden, die Gegenargumente nicht ernst zu nehmen.

Übung 22

Ersetzen Sie in dem ausgestalteten (Gegen-)Argument aus Übung 20 und 21 die emotionalen Formulierungen durch möglichst sachliche Formulierungen.

Besonders wichtig ist ein Vergleich von Argumenten und Gegenargumenten und deren Belegen, wenn Sie letztlich auf eine Alternative oder einen Lösungsvorschlag hinauswollen. Nur dann kann man erkennen, dass Sie sich tatsächlich mit den wichtigsten Argumenten beider Seiten befasst haben, bevor Sie zu Ihrer Alternative oder Ihrem Lösungsvorschlag kommen.

Übung 23

Gehen Sie zu Ihrer Stoffsammlung in Übung 6. Gestalten Sie zwei oder drei weitere wichtige Argumente für oder gegen das Singledasein aus, indem Sie die Begründungen und Belege miteinander vergleichen.

Begründungen:
- Es gibt viele Gründe, die für/gegen … sprechen.
- Dafür gibt es verschiedene Gründe.
- Das zeigt sich daran, dass …
- Das erkennt man daran, dass …
- Daran erkennt man, dass …

Fakten/Belege:
- Es ist offensichtlich, dass …
- Wie die Fakten/Zahlen/ Beobachtungen zeigen, ist es offensichtlich, dass …
- Es ist allgemein bekannt, …

Beispiele:
- Wie folgendes Beispiel zeigt, …
- Das folgende Beispiel zeigt …
- Dafür gibt es ein gutes Beispiel: …
- Erst kürzlich …
- Vor Kurzem wurde … berichtet, dass …
- In der Presse wurde berichtet, dass …
- In den Nachrichten war zu hören, dass …

Schlussfolgerung:
- Daraus lässt sich ableiten, dass …
- Das führt dazu, dass …
- Diese Überlegung führt dazu, dass …
- Das hat zur Folge, dass …
- Folglich kann man sagen, dass …

Ihre Meinung:
- Wie ich meine, …
- Meiner Meinung nach …
- Ich bin der Auffassung, dass …
- Nach meiner Auffassung …
- Ich möchte behaupten/feststellen, dass …

die Gegenposition:
- Auf der anderen Seite kann man …
- Andererseits muss man auch berücksichtigen, dass …
- Im Gegensatz dazu …
- Demgegenüber muss bedacht werden, dass …
- Manchmal wird auch behauptet/gesagt, dass …
- Gegner dieser Meinung gehen davon aus, dass …

Für die Anzahl der ausgestalteten Argumente in der Stellungnahme gibt es keine feste Regel. Als Faustregel können Sie sich merken, dass Sie für eine angemessene Entwicklung Ihres Gedankengangs im argumentativen ersten Teil Ihrer Stellungnahme vier ausgestaltete Argumente brauchen, wenn Sie auch einige Gegenargumente verwenden. Wenn Sie ganz auf Gegenargumente verzichten, sollten Sie fünf bis höchstens sechs ausgestaltete Argumente anstreben, bevor Sie zum Schlussteil mit der persönlichen Meinung und dem Schlussgedanken kommen:

Strukturierung der Stellungnahme:

Argumentativer Teil: Erörterung von Vor- und Nachteilen

These: ***pro*** oder ***contra*** oder Alternative/Lösungsvorschlag

1. Möglichkeit

ausgestaltetes Argument 1
(evtl. ausgehend von Gegenargument)

ausgestaltetes Argument 2
(evtl. ausgehend von Gegenargument)

ausgestaltetes Argument 3
(evtl. ausgehend von Gegenargument)

ausgestaltetes Argument 4
(evtl. ausgehend von Gegenargument)

2. Möglichkeit

ausgestaltetes Argument 1

ausgestaltetes Argument 2

ausgestaltetes Argument 3

ausgestaltetes Argument 4

ausgestaltetes Argument 5

(ausgestaltetes Argument 6)

Schlussteil: Persönliche Meinung mit Schlussgedanken

Für die Ausgestaltung der Argumente im ersten Teil Ihrer Stellungnahme sollten Sie in der richtigen Prüfung nicht mehr als 20 Minuten aufwenden. Den größten Teil der inhaltlichen Arbeit haben Sie in Schritt 7 geleistet, wo Sie Ihre These bereits begründet und in einer Gliederung strukturiert haben.

Nachdem Sie den argumentativen Teil Ihres Aufsatzes formuliert haben, kommen Sie zum Schlussteil. Dieser muss sich folgerichtig aus den Vor- und Nachteilen entwickeln, die Sie im argumentativen Teil dargestellt haben:

- Wenn Sie bei unserem Beispiel das Singledasein gut finden und möglicherweise selbst einmal Single bleiben wollen, dann müssen Sie diese Meinung im Schlussteil ausführlich begründen.
- Wenn Sie das Singledasein ablehnen, müssen Sie diese Meinung im Schlussteil ausführlich begründen.
- Wenn Sie weder dafür noch dagegen sind, müssen Sie im letzten Teil Ihre Alternative, Ihren Lösungsvorschlag darstellen und begründen.

Auch für den Schlussteil Ihres Aufsatzes brauchen Sie geeignete sprachliche Mittel. Hier sind einige Beispiele:

Zum Schlussteil überleiten:

- Nachdem ich bereits einige Vor- und Nachteile des/der … beschrieben habe, möchte ich …
- Wie ich schon gesagt habe, … Hinzukommt, dass …
- Nachdem ich zuletzt einige Vorteile/Nachteile … beschrieben habe, möchte ich zu dem wichtigsten Gesichtspunkt kommen. Meiner Meinung nach …
- Wie ich gezeigt habe / zu zeigen versucht habe, hat … große Vorteile. Aber/Deswegen …

Die eigene Meinung/Schlussfolgerung präzisieren:

- Aufgrund dieser Überlegungen komme ich zu dem Schluss, dass …
- Diese Überlegungen zeigen meines Erachtens klar, dass …
- Aus dem bisher Gesagten lässt sich die Schlussfolgerung ziehen, dass …

Es kommt häufig vor, dass im Schlussteil nur wiederholt wird, was bei den Vor- und Nachteilen schon gesagt wurde. Ganz lassen sich Wiederholungen in diesem Teil nicht vermeiden, aber versuchen Sie, diese so gering wie möglich zu halten. Um das zu erreichen, beachten Sie folgende Hinweise:

- Verwenden Sie den wichtigsten Vor- oder Nachteil ganz am Ende des argumentativen Teils. Damit haben Sie auch gleichzeitig einen guten Übergang zum Schlussteil geschaffen:

  Dieser letzte und entscheidende Punkt zeigt meiner Meinung nach deutlich, dass …

- Fassen Sie die Vor- oder Nachteile aus der Erörterung global zusammen, ohne die Begründungen, Belege, Fakten noch einmal im Einzelnen aufzuführen:

  Wie ich gezeigt habe, hat das Singledasein im Berufsleben und im privaten Bereich große Vorteile. Dies gilt auch für … Für mich ist das Singledasein deswegen …

MEMO

Möglichst wenig aus dem Erörterungsteil wiederholen.

- Wenn Ihnen das liegt, dann werden Sie (ein bisschen) kreativ: Während Sie im Erörterungsteil möglichst sachlich formulieren sollten, können Sie im Schlussteil auch etwas persönlicher schreiben, vielleicht sogar eine gewisse Selbstironie oder Zweifel an der eigenen Meinung einbringen, insbesondere ganz am Ende. Bevor Sie den Leser / die Leserin ermüden, indem Sie zu viel aus dem Erörterungsteil wiederholen, jonglieren Sie ein bisschen mit den Vor- und Nachteilen und zeigen Sie Ihre Kreativität. Manche Prüfer wissen das zu schätzen.

Aus all diesen Gründen bin ich eigentlich für ein Leben als Single – das macht einfach mehr Spaß: Party ohne Ende und niemand, der wissen will, wo ich war. Das klingt schon sehr verlockend. Aber wenn ich bedenke, wie anstrengend so ein Leben sein kann ... Da frage ich mich dann doch, ob ich auf Dauer wirklich so leben möchte. Eine Frau / Einen Mann und Kinder zu haben, das klingt zwar etwas altmodisch, aber vielleicht ist es doch nicht das Schlechteste, auch wenn ...

MEMO

Ganz am Ende etwas kreativ oder ironisch sein.

- Dieser etwas spielerische Umgang mit den Vor- und Nachteilen ist vor allem dann sinnvoll, wenn Sie eine Lösung bzw. eine Alternative vorschlagen wollen wie im letzten Beispiel.

- Egal, was Sie vorschlagen, vergessen Sie nie, Ihren Lösungsvorschlag ausführlich zu begründen.

MEMO

Ihre eigene Meinung immer ausführlich begründen.

Und denken Sie auch daran: Die Meinung Ihres Prüfers / Ihrer Prüferin spielt bei der Bewertung Ihres Aufsatzes keine Rolle. Es kommt nur darauf an, dass Sie Ihre eigene Meinung (pro/contra/Alternative) sinnvoll aus der Erörterung von Vor- und Nachteilen ableiten und ausführlich begründen.

Übung 24

Nehmen wir an, Sie vertreten folgende These: *Trotz vieler Vorteile ist das Singledasein sicher keine Lebensform für das ganze Leben.* Ergänzen und beenden Sie den vorgeschlagenen Schlussteil.

Aus all diesen Gründen bin ich eigentlich für ein Leben als Single, aber ich denke auch, dass es keine Lebensform für das ganze Leben ist.
Zweifellos ist es eine Bereicherung für das Leben, wenn man in jungen Jahren unabhängig ist, schnelle Entscheidungen treffen kann und ...
Aber was ist dann im Alter? Wer möchte schon im Alter allein sein? Wer möchte auf Hilfe von außen angewiesen sein, wenn er/sie gesundheitliche Schwierigkeiten hat? ...
Deswegen denke ich, dass es sinnvoll ist, heutzutage erst spät zu heiraten, um die Freiheiten und Möglichkeiten eines unabhängigen Singledaseins voll auszuschöpfen. Ich glaube schon, dass so eine Lebensform dazu beiträgt, dass sich der Einzelne ...

Für die Ausformulierung Ihrer Meinung im zweiten Teil Ihrer Stellungnahme sollten Sie sich in der Prüfung etwa zehn Minuten Zeit nehmen.

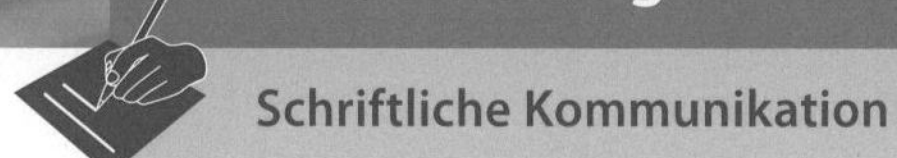

Schritt 12: Kontrollieren Sie Ihren Aufsatz.

Wenn Sie die oben vorgeschlagenen Zeiten einhalten können, bleiben Ihnen jetzt noch bis zu zehn Minuten für die Kontrolle und Verbesserung Ihres Aufsatzes. Stellen Sie sich dazu folgende Fragen:

Sind alle Teile vorhanden?
- Einleitung zum gesamten Aufsatz + Vorbereitung auf die Stellungnahme + Überleitung zur Textwiedergabe
- Wiedergabe des Textes + Überleitung zur Auswertung der Grafik
- Auswertung der Grafik + Überleitung zur Stellungnahme
- argumentativer Teil der Stellungnahme + Überleitung zum Schlussteil
- Schlussteil mit begründeter Meinung und Schlussfolgerung

Ist der Aufsatz eine thematische Einheit?
- Sind die sprachlichen Übergänge zwischen den Teilen gelungen?
- Ist Ihre Meinung argumentativ entwickelt?
- Ist Ihre Meinung ausführlich begründet?

Auch wenn Sie größere Lücken oder Fehler in Aufbau und Inhalt entdecken, sollten Sie nicht versuchen, den ganzen Aufsatz noch einmal neu zu schreiben. Dafür reicht meistens die Zeit nicht mehr. Versuchen Sie stattdessen, eventuell fehlende Teile am Ende des Aufsatzes zu formulieren und durch Ziffern an den entsprechenden Stellen im Text einzufügen.

Überleitungen, die Sie noch ergänzen wollen, können Sie am Rand notieren oder ebenfalls mit Ziffern kennzeichnen. Wenn etwas wegfallen soll, bitte sauber und eindeutig durchstreichen.

Eindeutige sprachliche Fehler sollten Sie verbessern. Verwenden Sie aber nicht zu viel Zeit auf Neuformulierungen wegen vermuteter Ausdrucksfehler. Das macht den Text meistens unübersichtlich. Achten Sie bei allen Korrekturen auf die äußere Form. Verbesserungen kann man nicht vermeiden. Aber man kann sie so organisieren, dass der Leser / die Leserin klar erkennen kann, was falsch und was richtig ist.

Mündliche Kommunikation: Übersicht

Der Prüfungsteil *Mündliche Kommunikation* besteht aus zwei Teilen. Im ersten Teil der Prüfung müssen Sie einen Kurzvortrag halten. Das Thema erfahren Sie erst kurz vor der Prüfung. Für die Vorbereitung (unter Aufsicht) haben Sie 20 Minuten Zeit. Der Vortrag selbst dauert etwa drei bis fünf Minuten. Danach stellt Ihnen der Prüfer / die Prüferin noch einige Fragen zu Ihrem Kurzvortrag. Das Gespräch über Ihren Kurzvortrag dauert ca. fünf Minuten.

Im zweiten Teil der Prüfung müssen Sie ein Referat halten. Das Thema legen Sie in Absprache mit Ihrem Lehrer / Ihrer Lehrerin etwa ein halbes Jahr vor der Prüfung fest. Sie haben also ungefähr ein halbes Jahr, um Ihre Präsentation auszuarbeiten. In der Prüfung dauert die Präsentation vier bis fünf Minuten. Danach stellt der Prüfer / die Prüferin noch einige Fragen zu Ihrer Präsentation. Dieses Gespräch dauert noch einmal ungefähr fünf Minuten.

Die ganze mündliche Prüfung dauert also etwa 20 Minuten. Für beide Teile zusammen können Sie bis zu 24 Punkte bekommen.

Teil 1	
Inhalt	max. 3 Punkte
sprachliche Mittel	max. 3 Punkte

Teil 2	
Inhalt	max. 3 Punkte
sprachliche Mittel	max. 3 Punkte
Präsentation	max. 3 Punkte

Teil 1 und 2	
Grammatik	max. 3 Punkte
Aussprache/Intonation	max. 3 Punkte
Interaktion	max. 3 Punkte

Um das Niveau B 2 zu erreichen, brauchen Sie mindestens 8 Punkte.
Um das Niveau C 1 zu erreichen, brauchen Sie mindestens 12 Punkte.

Für die Vorbereitung des Kurzvortrags haben Sie 20 Minuten. Die Vorbereitung findet unter Aufsicht eines Lehrers / einer Lehrerin statt. Im Vorbereitungsraum erhalten Sie das Aufgabenblatt für den Kurzvortrag. Es liegen Schreibpapier und Folien für Sie bereit. Außerdem stehen ein einsprachiges und/ oder ein zweisprachiges Wörterbuch zur Verfügung. Bringen Sie selbst Schreibmaterial und Ihre Unterlagen/Materialien für die Präsentation mit.

Nach der Vorbereitungszeit werden Sie von einem Lehrer / einer Lehrerin abgeholt und in den eigentlichen Prüfungsraum geführt. Die Prüfung ist eine Einzelprüfung. Sie werden also alleine geprüft.

Das Prüfungsteam besteht aus dem eigentlichen Prüfer (Ihrem Lehrer / Ihrer Lehrerin), dem/der Prüfungsvorsitzenden und dem Beisitzer / der Beisitzerin. Ihren Lehrer / Ihre Lehrerin kennen Sie natürlich. Er/Sie wird Ihnen die anderen Anwesenden vorstellen.

Der Kurzvortrag: Basistraining

In Teil 1 der mündlichen Prüfung müssen Sie einen Kurzvortrag halten. Für die Vorbereitung dieses Vortrags haben Sie 20 Minuten Zeit. Danach beginnt die eigentliche Prüfung.

Das Thema des Kurzvortrags erfahren Sie zu Beginn der Vorbereitungszeit. Es befindet sich auf einem Aufgabenblatt, das Ihnen vom Prüfer / von der Prüferin oder einem anderen Lehrer / einer anderen Lehrerin ausgehändigt wird, sobald die Vorbereitungszeit beginnt.

Im Basistraining lernen Sie, wie Sie sich in sinnvollen Arbeitsschritten auf diesen Teil der mündlichen Prüfung vorbereiten können.

Schritt 1: Lesen Sie die Überschrift und unterstreichen Sie das Thema.

Das Thema steht immer im ersten Satz. Unterstreichen Sie das Thema.
Denken Sie kurz über das Thema nach.

MEMO
Kurz über das Thema nachdenken.

Übung 1

Unterstreichen Sie das Thema. Notieren Sie in Stichworten, was Ihnen spontan zu diesem Thema einfällt.

Werbung heute

Diskutieren Sie das Thema „Werbung heute".
Vertiefen Sie das Thema anhand von mindestens drei der folgenden Stichwörter:

Information	Wirtschaft	Gefahren
Wirkungsweise	Werbung heute	Gewöhnung
Sprache	Wertvorstellungen	...

Schritt 2: Sammeln Sie erste Ideen zum Thema.

Die Themen sind alle so gewählt, dass Sie aufgrund Ihrer Lebenserfahrung und/oder des Unterrichts in den letzten Jahren etwas dazu sagen können.

Um Ihnen bei der schnellen Erarbeitung des Themas zu helfen, werden sieben Stichwörter auf dem Arbeitsblatt vorgegeben. Diese Stichwörter benennen bestimmte Aspekte des Themas. Mindestens drei müssen Sie in Ihrem Vortrag behandeln. Sie können auch alle Aspekte besprechen oder eigene ergänzen. Drei von den vorgegebenen sind aber Pflicht.

Bevor Sie sich entscheiden, sollten Sie über **alle** vorgegebenen Aspekte nachdenken und in Stichworten notieren, was Sie dazu wissen.

Am besten schreiben Sie die vorgegebenen Aspekte dazu untereinander auf ein extra Blatt Papier. Lassen Sie zwischen und neben den Aspekten ausreichend Platz, damit Sie anschließend Ihre Ideen zu diesen Aspekten dazuschreiben können.

MEMO

Möglichst zu allen Aspekten einige Notizen machen.

Übung 2

Schreiben Sie alle vorgegebenen Aspekte untereinander in Ihr Heft. Notieren Sie Ihre Ideen zu diesen Aspekten.

Information:
- *technische Details*
- *Inhaltsstoffe*
- *Preis*

Wirtschaft:

Aspekte, die nicht in der Aufgabe vorgegeben sind, sollten Sie nur dann hinzufügen, wenn Sie für den logischen Aufbau Ihres Kurzreferats unbedingt notwendig sind. In der Regel können Sie aber davon ausgehen, dass die vorgegebenen Aspekte alles enthalten, was für das Thema wichtig ist.

In der richtigen Prüfung muss das alles recht schnell gehen. Denken Sie nicht lange über die Einzelheiten nach. Es kommt hier nicht auf die Vollständigkeit des Inhalts an, sondern darauf, dass Sie einige wichtige Inhalte zu einem Thema in Ihrem Vortrag sprachlich flüssig und logisch darstellen können.

Anstelle der Liste können Sie natürlich auch eine Mindmap verwenden:

MEMO

Schnell arbeiten, nicht zu lange über Einzelheiten nachdenken.

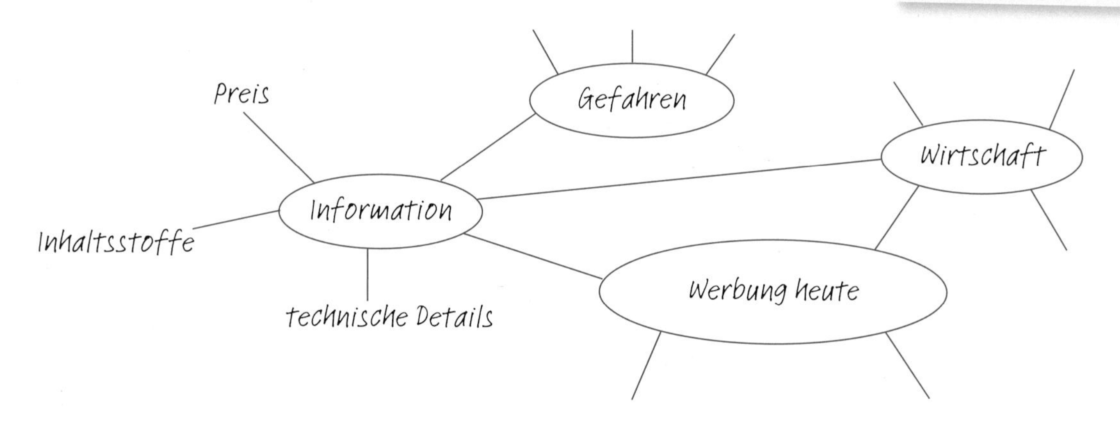

Liste oder Mindmap sind nur ein erster Einstieg in das Thema und seine verschiedenen Aspekte. Diese Ideen müssen Sie im Folgenden erweitern und so organisieren, dass ein übersichtliches Konzept für Ihren Kurzvortrags entsteht.

Schritt 3: Wählen Sie die Aspekte des Themas aus.

Gehen Sie bei der Auswahl der Aspekte strategisch vor. Konzentrieren Sie sich auf drei bis vier wichtige Aspekte. Mehr sind aus Zeitgründen nicht zu empfehlen. Und mit drei gut ausgeführten Aspekten können Sie bereits die Höchstpunktzahl erreichen.

MEMO
Drei bis vier wichtige Aspekte auswählen und markieren.

Wählen Sie auch Aspekte, die für die Prüfer besonders wichtig sein könnten. Das sind vor allem Aspekte, die sich auf Ideale, Werte und abstrakte Überlegungen beziehen.

Wählen Sie möglichst Aspekte aus, die in der Aufgabe vorgegeben sind. Eigene Aspekte nur dann, wenn Sie Ihnen besonders wichtig erscheinen. Markieren Sie die ausgewählten Aspekte in Ihrer Liste oder Mindmap.

MEMO
Auch Aspekte auswählen, die sich auf Ideale, Werte u. ä. beziehen.

Nachdem Sie sich entschieden haben, müssen Sie Ihre Ideen zu den ausgewählten Aspekten inhaltlich ausarbeiten.

Schritt 4: Arbeiten Sie Ihre Ideen zu den Aspekten aus.

Da Sie nach den ersten drei Schritten vielleicht noch 15 Minuten Zeit haben, müssen Sie jetzt schnell arbeiten. Nehmen Sie sich für die Ausarbeitung der ausgewählten Aspekte insgesamt etwa zehn Minuten. Den Rest der Zeit brauchen Sie, um Ihren Vortrag wenigstens einmal „still" vorzutragen.

Ihr Vortrag soll drei bis fünf Minuten dauern. Das heißt, dass Sie für jeden Aspekt ein bis eineinhalb Minuten zur Verfügung haben. Wenn Sie flüssig sprechen und wichtige Aspekte ausgewählt haben, freuen sich die Prüfer und lassen Sie vielleicht sogar etwas länger sprechen. Das ist gut für Sie, denn so wird die Zeit für das Gespräch nach Ihrem Vortrag kürzer. Versuchen Sie also, Ihre Redezeit voll zu nutzen.

MEMO
Redezeit voll nutzen, möglichst fünf Minuten vorbereiten.

Bei der Ausarbeitung Ihrer Punkte können Ihnen die W-Fragen helfen. Gehen Sie Ihre Punkte durch und stellen Sie sich W-Fragen, die Ihnen wichtig erscheinen, zum Beispiel zum Punkt „technische Details" bei dem Aspekt „Informationen": Warum sind technische Details wichtig?, Welche (Arten von) Informationen sind wichtig?, Warum?, Was für Probleme gibt es bei diesen Informationen?, …

MEMO
Das Thema und seine Aspekte mit W-Fragen erschließen.

Die Antworten zu diesen Fragen schreiben Sie in Stichworten zu Ihren Punkten direkt in die Tabelle oder in Ihre Mindmap. Achten Sie darauf, dass die Darstellung übersichtlich bleibt. Aus den Antworten ergeben sich manchmal weitere Fragen. Natürlich sind auch diese Fragen wichtig und sollten von Ihnen beantwortet werden.

Übung 3

Stellen Sie weitere W-Fragen zu dem Aspekt „Informationen". Notieren Sie Ihre Antworten in Stichworten wie im Beispiel.

Information:

technische Details	– *ermöglichen Vergleich mit ähnlichen Produkten*
	– *geben Informationen über Funktionsweise*
	– *sollten genau und verständlich sein*
Inhaltsstoffe	–
	–
Preis	–
	–

Wirtschaft:

Da Sie in Ihrem Kurzvortag nur ein bis eineinhalb Minuten für jeden Aspekt haben, reichen drei bis höchstens vier Unterpunkte pro Aspekt, die Sie in Ihrem Vortrag genau beschreiben und begründen müssen.

MEMO

Nicht mehr als drei bis vier Unterpunkte pro Aspekt ausführen.

Ähnlich wichtig wie die Begründungen sind die Beispiele. Da Sie für Ihren Vortrag nicht recherchieren können, stehen Ihnen nur Fakten, Informationen und Beispiele zur Verfügung, die Ihnen bereits bekannt sind. Finden Sie möglichst Beispiele, die auch Ihre Prüfer kennen. Das erhöht ihren Wert. Unbekanntere Beispiele müssen meist ausführlich erklärt werden, was kompliziert sein kann.

MEMO

Möglichst Beispiele verwenden, die allgemein bekannt sind.

Ein Problem, das bei der Erarbeitung des Themas und seiner Aspekte regelmäßig auftaucht, ist der Wortschatz. Meistens werden Ihnen ein paar Wörter fehlen, um alles genau so darzustellen und zu erklären, wie Sie das möchten. Da Ihnen im Vorbereitungsraum auch ein zweisprachiges Wörterbuch zur Verfügung steht, können Sie Wörter nachschlagen.

MEMO

Unbekannte Wörter im zweisprachigen Wörterbuch nachschlagen.

Wenn Sie nicht sicher sind, ob das gefundene Wort auch wirklich stimmt, können Sie es in dem einsprachigen Wörterbuch noch einmal überprüfen. Das einsprachige Wörterbuch ist auch dann nützlich, wenn Sie zum Beispiel nicht wissen, welche Präposition oder welchen Kasus ein Verb braucht.

Sie sollten die Wörterbücher aber nur dann benutzen, wenn Sie sonst nicht mehr weiterkommen. Das Nachschlagen nimmt relativ viel Zeit in Anspruch und Sie sind noch nicht einmal sicher, ob Sie dann das richtige Wort gefunden haben. Also nur dann nachschlagen, wenn es nicht mehr anders geht.

MEMO

Wörterbücher nur dann benutzen, wenn unbedingt nötig.

Wenn Sie bei einem Ihrer Unterpunkte viele Wörter nicht kennen, lassen Sie diesen Punkt besser ganz weg und nehmen Sie einen anderen.

MEMO

Unterpunkt weglassen, wenn Sie viele Wörter nicht kennen.

Übung 4

Erschließen Sie alle weiteren Aspekte in Ihrer Liste durch W-Fragen und notieren Sie auch Beispiele. Verwenden Sie dabei die Wörterbücher wie oben beschrieben.

Der Inhalt ist in diesem Kurzvortrag nicht das Wichtigste, aber der Prüfer / die Prüferin sollte erkennen können, dass Sie sich mit dem Thema kritisch auseinandergesetzt haben und dazu eine gut begründete Meinung haben. Gut ausgewählte Beispiele machen den Vortrag lebendig und anschaulich. Es kann durchaus sinnvoll sein, einen Aspekt des Themas mit einem Beispiel zu beginnen, etwa so:

MEMO

Eigene Meinung immer begründen.

Eigentlich sollte uns die Werbung ja mit wichtigen Informationen versorgen. Aber als ich mein neues Smartphone gekauft habe …

Wenn Sie die Übungen 2–4 genau durchgearbeitet haben, enthält Ihre Aufstellung vor allem Behauptungen, Begründungen und Beispiele. Es gibt aber auch Forderungen und/oder Schlussfolgerungen. Beachten Sie die Stellenwerte dieser Inhalte, wenn Sie die Aspekte ausformulieren.

MEMO

Beim Formulieren auf den Stellenwert der Aussagen achten.

Übung 5

Formulieren Sie Ihre Notizen zu allen Aspekten mündlich aus. Beachten Sie dabei die Stellenwerte Ihrer Inhalte.

Feststellung/Behauptung:
Ich bin der Meinung, dass …
Ich bin davon überzeugt, dass …
Meiner Meinung nach …

Begründung:
…, da/weil …
Aus diesem Grund …

Beispiel:
Das kann man an folgendem Beispiel erkennen: …
Wie folgendes Beispiel zeigt, …
Ein (gutes) Beispiel dafür ist …

Schlussfolgerung:
Deswegen bin ich der Meinung, dass …
Das führt mich zu der Annahme, dass …
Daraus folgt (natürlich), dass …

Wenn Sie Schwierigkeiten haben, die Inhalte Ihrer Aufstellung mündlich auszuformulieren, können Sie das hier im Basistraining erst einmal schriftlich machen. Aber denken Sie daran, dass Sie in der richtigen Prüfung dazu keine Zeit haben. In der Prüfung müssen Sie mit Ihren Stichworten/Notizen arbeiten.

Schritt 5: Erstellen Sie die Unterlagen für Ihre Präsentation.

Für die Arbeitsschritte, die Sie bisher erledigt haben, sollten Sie in der richtigen Prüfung nicht mehr als 15 Minuten verwenden. Das gibt Ihnen noch Zeit, Ihre Zusammenstellung aus Schritt 4 auf eine Folie zu übertragen. Wenn die Zeit knapp ist, verzichten Sie auf die Folie und benutzen Sie Ihre Notizen aus Schritt 4 für die Präsentation.

MEMO

Auf Folie verzichten, wenn Zeit knapp ist.

Wenn Sie sich für eine Folie entscheiden, übertragen Sie Ihre Notizen aus Schritt 4 möglichst übersichtlich. Denken Sie daran: Auch bei diesem kurzen Vortrag geht es vor allem darum, was und wie Sie es sagen, und nicht so sehr um eine „schöne" Folie.

Bei der Übertragung auf Folie sollten Sie noch einmal an die Reihenfolge der Aspekte denken. Behandeln Sie die schwierigen Aspekte nicht zu spät, sondern etwa in der Mitte Ihres Vortrags. Wenn Sie sich zu lange auf praktische Überlegungen, einfache Beispiele u. ä. konzentrieren, unterbrechen die Prüfer Sie vielleicht, bevor Ihre Sprechzeit zu Ende ist. Sie wollen damit Zeit für ein Gespräch über die schwierigen Aspekte des Themas gewinnen.

MEMO

Schwierige Aspekte etwa in der Mitte des Vortrags ansprechen.

Das gilt auch, wenn Sie mit einer Mindmap arbeiten oder ohne Folie präsentieren. Dann sollten Sie Ihre Notizen aus Schritt 4 durch Nummerierung nach Wichtigkeit ordnen.

Übung 6

Nummerieren Sie die Aspekte in Ihrer Liste (Übung 2 – 4) nach Wichtigkeit.

Zwischen dem Anfang des Vortrags und seinem Ende sollten sich die übrigen Aspekte in einer logischen Reihenfolge entwickeln. Dabei kommt es auch auf die Übergänge zwischen den einzelnen Punkten an.

Die Folie ist nur das Gerüst für Ihren Vortrag. Sie enthält nur Stichworte. Sie sollten auf keinen Fall einen ausgearbeiteten Text auf die Folie schreiben.

MEMO

Auf der Folie nur Stichworte verwenden.

Statt einer Auflistung der Aspekte und Ihrer Punkte oder der Mindmap können Sie auch eine beliebige andere Skizze anfertigen, um die gedankliche Entwicklung Ihres Vortrags zu zeigen. Am einfachsten ist es, wenn Sie dafür nur die vorgegebenen Aspekte verwenden. Sie können sie aber sprachlich variieren, zum Beispiel statt „Wirtschaft" auch „Vorteile für die Wirtschaft" schreiben. Wichtig ist, dass die Prüfer erkennen können, dass Sie mindestens drei der vorgegebenen Aspekte behandeln.

Übung 7

Erstellen Sie aus Ihren bisherigen Notizen eine Folie zum Thema „Werbung heute".

Schritt 6: Üben Sie Ihren Kurzvortrag.

Für die Vorbereitung Ihres Kurzvortrags haben Sie nur zwanzig Minuten Zeit und wahrscheinlich nur ein paar Minuten, um ihn wenigstens einmal so zu halten, wie Sie das in der Prüfung machen wollen.

Nehmen Sie dazu Ihr Notizblatt oder Ihre Folie und üben Sie Ihren Vortrag. Sie sitzen dabei noch immer im Vorbereitungsraum und wahrscheinlich passt jemand auf, dass Sie nichts tun, was nicht erlaubt ist. Kümmern Sie sich nicht um diese Person und sprechen Sie Ihren Vortrag leise vor sich hin.

MEMO
Vortrag einmal leise sich selbst vorsprechen.

Beachten Sie dabei Folgendes:

- Formulieren Sie einfache Sätze: höchstens einen Aussagesatz und einen Nebensatz.
- Versuchen Sie, relativ langsam und deutlich zu sprechen.
- Unterstreichen Sie eventuell die neuen oder schwierigen Wörter.
- Ergänzen Sie Ihre Notizen, wenn Sie irgendwo nicht weiterwissen.
- Achten Sie auf die Zeit: Versuchen Sie, möglichst fünf Minuten zu sprechen.
- Wenn Sie merken, dass Ihr Vortrag deutlich zu lang ist, streichen Sie ein paar Punkte, die nicht so wichtig sind.

MEMO
Ein paar Unterpunkte streichen, wenn Vortrag zu lang ist.

Wenn Sie das alles in zwanzig Minuten erledigt haben, können Sie beruhigt in die Prüfung gehen. Ihr Prüfer / Ihre Prüferin oder jemand anders wird Sie abholen und in den Prüfungsraum bringen.

Schritt 7: Halten Sie Ihren Kurzvortrag.

Schon beim Betreten des Prüfungsraums sollten Sie ein paar Spielregeln beachten.

Übung 8

a Wie sollten Sie sich verhalten? Kreuzen Sie an.

A ☐

B ☐

C ☐

b Was machen die anderen falsch? Notieren Sie.

Ihr erster Auftritt ist wichtig. Deswegen sollten Sie die Anwesenden schon beim Betreten des Prüfungsraums anschauen und laut und deutlich grüßen, möglichst noch bevor die Prüfer Sie begrüßen. Danach werden Sie wahrscheinlich aufgefordert, Platz zu nehmen, und der Prüfer / die Prüferin wird Ihnen die anderen Mitglieder der Prüfungskommission vorstellen. Anschließend werden Sie aufgefordert, Ihren Kurzvortrag zu halten.

MEMO

Beim Betreten des Prüfungsraums grüßen und Blickkontakt herstellen.

Falls Sie nur Ihr Notizblatt verwenden, können Sie auf Ihrem Platz sitzen bleiben. Es wird nicht erwartet, dass Sie für diesen Vortrag aufstehen. Wenn Sie allerdings eine Folie vorbereitet haben, müssen Sie zum Tageslichtprojektor gehen und Ihren Vortrag von dort aus halten. Achten Sie von Anfang an darauf, dass Sie Ihr „Publikum" möglichst oft anschauen. Je freier Sie sprechen und je mehr Augenkontakt Sie zu Ihren Zuhörern herstellen, desto besser.

MEMO

Blickkontakt während des Kurzvortrags halten.

Stellen Sie sich nicht so vor den Tageslichtprojektor, dass Sie das Bild verdecken. Das Bild muss immer ganz sichtbar sein. Achten Sie darauf, dass das Bild scharf gestellt ist. Wenn es unscharf ist, stellen Sie die Schärfe nach. Üben Sie den Gebrauch des Tageslichtprojektors ein paar Mal, bevor Sie in die Prüfung gehen.

Sprechen Sie von Anfang an langsam und deutlich, dann verstehen die Prüfer Sie besser und Sie gewinnen etwas Zeit. Und lassen Sie sich nicht irritieren, wenn die Damen und Herren vor Ihnen Notizen machen, während Sie reden. Das müssen sie machen, weil sie ja anschließend noch Fragen zu Ihrem Vortrag stellen wollen.

MEMO

Langsam und deutlich sprechen.

Übung 9

a Halten Sie einen Kurzvortrag zum Thema „Werbung heute". Verwenden Sie Ihre Folie aus Übung 7 oder den Lösungsvorschlag (Lösungsheft S. 26/27). Nehmen Sie Ihren Vortrag auf.

b Hören Sie Ihre Aufnahme an. Welche der folgenden Aussagen trifft zu? Kreuzen Sie an.

A ☐ Ich habe langsam und deutlich gesprochen.

B ☐ Ich habe ungefähr fünf Minuten gesprochen.

C ☐ Ich habe über mindestens drei der vorgegebenen Aspekte gesprochen.

D ☐ Die schwierigen Aspekte aus der Aufgabe habe ich behandelt.

E ☐ Man kann klar erkennen, welchen Stellenwert meine Aussagen haben (Behauptung, Begründung, Beispiel, Forderung etc.).

c Wenn Sie nicht zufrieden sind, denken Sie noch einmal über Ihren Vortrag nach. Überlegen Sie, wie Sie die Inhalte, deren Reihenfolge oder Ihre Sprechweise verbessern können. Nehmen Sie den Vortrag noch einmal auf.

Im Anschluss an Ihren Vortrag wird Ihnen der Prüfer / die Prüferin einige Fragen zu Ihrem Kurzvortrag stellen. Im Einzelnen können Sie sich auf solche Fragen natürlich nicht vorbereiten. Da müssen Sie spontan reagieren. Das ist – unter anderem – auch eines der Prüfungsziele in diesem Teil der Prüfung.

Schritt 8: Beantworten Sie die Fragen des Prüfers / der Prüferin.

In seinen/ihren Unterlagen hat der Prüfer / die Prüferin einige Fragen, die er/sie stellen kann. In unserem Beispiel könnten die lauten: Gibt es Werbespots, die Ihnen besonders gut gefallen? (Warum?), Verlassen Sie sich selbst beim Kauf eines Produkts auf die Werbung? (Warum / Warum nicht?), Woher bekommen Sie Ihre Informationen über ein Produkt?, Was halten Sie von einem Verbot der Werbung, zum Beispiel für Zigaretten?, Könnten Sie sich vorstellen, in der Werbebranche zu arbeiten? (Warum? / Warum nicht?).

Der Prüfer / Die Prüferin kann Ihnen die vorgegebenen Fragen stellen oder eigene Fragen formulieren, die sich stärker auf das beziehen, was Sie zuvor gesagt haben. Welche Fragen gestellt werden, können Sie nicht wissen. Es gibt aber einige Möglichkeiten, sich auf diese Phase dennoch vorzubereiten:

- Wenn Sie in Ihrem Vortrag die schwierigen Aspekte aus der Aufgabe nicht behandelt haben, stellen die Prüfer gerne Fragen dazu, besonders dann, wenn diese Aspekte mit Idealen, Werten oder abstrakten Überlegungen zu tun haben. Deswegen sollten Sie sich bei der Vorbereitung zu allen vorgegebenen Aspekten ein paar Notizen machen, auch wenn Sie nur drei Aspekte für Ihren Vortrag auswählen.
- Stellen Sie sich auch darauf ein, dass der Prüfer / die Prüferin nach (weiteren) Begründungen für Ihre Aussagen fragt, vor allem dann, wenn Sie das im Vortrag nicht genau genug gemacht haben. Es ist daher sinnvoll, schon bei der Vorbereitung des Vortrags darauf zu achten, dass alle Behauptungen und vor allem die Forderungen und Schlussfolgerungen gut begründet werden.
- Ein wichtiger Punkt sind auch die Beispiele. Gerne fragen die Prüfer nach, ob Sie zu irgendeiner Behauptung auch ein Beispiel nennen können. Auch darauf sollten Sie vorbereitet sein.

Im Prüfungsgespräch ist es manchmal hilfreich, sich etwas Luft zu verschaffen. Vor allem, wenn man nicht sofort weiß, was der Prüfer / die Prüferin eigentlich hören will. In solchen Fällen sollten Sie eine Rückfrage stellen:

> Ich bin mir nicht sicher, ob ich Sie richtig verstanden habe. Können Sie Ihre Frage bitte wiederholen?

> Wie meinen Sie das? Können Sie das bitte noch einmal erklären?

Eine andere Möglichkeit, etwas Zeit zu gewinnen, besteht darin, die Frage des Prüfers / der Prüferin langsam zu wiederholen und dann etwas umständlich zu antworten:

> Also, Sie wollen wissen, woher ich meine Informationen über Produkte bekomme. Nun, da gibt es natürlich verschiedene Möglichkeiten. Heutzutage ist das Internet sehr hilfreich. Dort gibt es viele Quellen …

MEMO

Rückfragen stellen oder eine Frage wiederholen, um Zeit zu gewinnen.

Es kann immer vorkommen, dass Sie mal nicht genau wissen, welche Antwort erwartet wird. – Lassen Sie sich dadurch nicht aus der Ruhe bringen. Die Prüfer wollen Sie nicht reinlegen, sondern Ihnen helfen, etwas Vernünftiges zu sagen. Deswegen ist es durchaus auch möglich, einmal zu antworten:

> Tut mir leid, das weiß ich nicht.

> Darüber habe ich mir eigentlich noch nie Gedanken gemacht.

> Das ist eine interessante Frage, aber darüber weiß ich nicht Bescheid. Da müsste ich mich erst genauer informieren.

MEMO

Wenn nötig, auch einmal zugeben, dass man etwas nicht weiß.

In so einem Fall werden die Prüfer Ihnen wahrscheinlich eine neue Frage stellen, denn es geht in diesem Teil der Prüfung ja nicht darum, Ihr Wissen zum Thema zu prüfen, sondern herauszufinden, wie geschickt Sie in einem Gespräch sprachlich reagieren. Dazu gehört auch, einmal zuzugeben, dass man etwas nicht weiß oder zu etwas keine Meinung hat.

Die Präsentation: Basistraining

In Teil 2 der mündlichen Prüfung geht es um die Präsentation und das abschließende Gespräch. Hier im Basistraining erfahren Sie, wie Sie sich inhaltlich und sprachlich darauf vorbereiten können.

Schritt 1: Wählen Sie ein Thema aus.

Für die Präsentation ist es ganz wichtig, das richtige Thema zu finden. Ihr Deutschlehrer / Ihre Deutschlehrerin wird ungefähr ein halbes Jahr vor der Prüfung mit Ihnen das Thema festlegen und Sie bei der Auswahl beraten. Das bedeutet, Sie haben sechs Monate, um ungefähr vier Minuten Präsentation vorzubereiten. Das ist viel Zeit. Sie müssen sie nur richtig nutzen.

MEMO
Das Thema möglichst früh mit dem Lehrer / der Lehrerin festlegen.

Es ist sinnvoll, sich möglichst früh Gedanken darüber zu machen, was bei der Themenwahl zu beachten ist. Orientieren Sie sich dabei auch an den sogenannten „Sternchenthemen". Informationen dazu finden Sie unter: http://www.pasch-net.de/pas/cls/leh/unt/dst/deindex.htm. Welche Sternchenthemen bei Ihrem Prüfungstermin verlangt werden, sagt Ihnen Ihr Lehrer / Ihre Lehrerin.

Das Thema sollte problemorientiert sein. Das heißt, es sollte ein Thema sein, bei dem Sie sinnvoll einen Standpunkt beziehen und verteidigen können, zum Beispiel „Vegetarische Ernährung".

MEMO
Das Thema sollte problemorientiert sein und verschiedene Perspektiven zulassen.

Übung 1

Erklären Sie in Ihren Worten, warum das Thema „Vegetarische Ernährung" problemorientiert ist und verschiedene Perspektiven zulässt.

Bei anderen Themen ist die Problemorientierung nicht so ohne Weiteres erkennbar. Wenn Sie sich zum Beispiel für ein Thema wie „Das Autobahnnetz in Deutschland" oder „Die Wiedervereinigung Deutschlands" interessieren, besteht die Gefahr, dass Sie in Ihrem Vortrag nur einen Vorgang, eine Beobachtung, einen Sachverhalt oder historische Fakten beschreiben. Das sollten Sie auf alle Fälle vermeiden.

Übung 2

Formulieren Sie die beiden oben genannten Themen so um, dass eine Problemorientierung deutlich wird.

Neben der Problemorientierung ist auch der Deutschlandbezug des Themas sehr wichtig. Ihr Thema sollte so gewählt sein, dass schon am Titel erkennbar ist, was es mit Deutschland zu tun hat. Wenn das nicht möglich ist, muss zumindest in der Präsentation der Deutschlandbezug herausgearbeitet werden.

MEMO
Das Thema sollte einen Bezug zu Deutschland haben.

Übung 3

Erklären Sie in Ihren Worten, welchen Deutschlandbezug das Thema „Der Einfluss der Medien auf die Politik" hat.

Viele Themen, die einen Bezug zu Deutschland haben, ermöglichen gleichzeitig auch einen Vergleich zwischen der Situation in Ihrem Land und der in Deutschland. Solche Themen sind besonders geeignet für die Prüfung, weil Sie persönliche Beobachtungen und Beispiele sowie eigene Erfahrungen aus Ihrem Land einbringen können.

MEMO
Das Thema sollte einen interkulturellen Vergleich ermöglichen.

Übung 4

Erklären Sie, inwieweit das Thema „Der Einfluss der Medien auf die Politik" einen interkulturellen Vergleich erlaubt.

Die besten Themen sind immer die, die mit Ihnen selbst zu tun haben. Ein Thema, das Sie selbst richtig gut finden, weil Sie aus eigener Erfahrung etwas dazu sagen können, macht Ihnen selbst Spaß, auch deswegen, weil Sie damit eine persönliche Botschaft verbinden können. Themen, bei denen Sie nur angelesenes Wissen weitergeben, sind unpersönlich und meistens recht langweilig. Das spüren auch die Prüfer/Prüferinnen. Also lassen Sie sich etwas einfallen, hinter dem Sie inhaltlich stehen, etwas, was Sie wichtig finden, etwas, zu dem Sie aus Überzeugung etwas sagen können und wollen.

MEMO
Ein Thema wählen, mit dem Sie eine persönliche Botschaft verbinden können.

Übung 5

Überlegen Sie sich ein Thema, mit dem Sie eine persönliche Botschaft verbinden können. Begründen Sie Ihre Themenwahl.

Bevor Sie sich auf ein Thema festlegen, lassen Sie sich auf alle Fälle von Ihrem Lehrer / Ihrer Lehrerin beraten. Er/Sie weiß am besten, was Sie inhaltlich und sprachlich leisten können. Es mag sein, dass ein Thema Sie inhaltlich sehr interessiert, aber sprachlich möglicherweise überfordert. Um das zu vermeiden, erklären Sie Ihrem Lehrer / Ihrer Lehrerin genau, was Sie vorhaben, und hören Sie auf seinen/ihren Rat.

Dies gilt vor allem auch, wenn Sie ein historisches, literarisches oder kunstgeschichtliches Thema wählen wollen. Hier kann das Interesse für den Inhalt eines Themas sehr leicht zu einer sprachlichen Überforderung führen. Aus diesem Grunde sollten Sie bei so einem Thema sehr vorsichtig sein und unbedingt den Rat Ihres Lehrers / Ihrer Lehrerin einholen.

Bedenken Sie bei der Wahl des Themas auch, welches Niveau Sie in der Prüfung anstreben (B 2 oder C 1). Vor allem bei B-2-Themen besteht die Gefahr, dass Sie sich selbst überfordern.

Achten Sie bei der Suche nach Themen auf folgende Kriterien:

A Das Thema soll problemorientiert sein und verschiedene Perspektiven zulassen.
B Das Thema soll einen Bezug zu Deutschland erlauben.
C Das Thema soll einen interkulturellen Vergleich zulassen.
D Mit dem Thema sollten Sie eine persönliche Botschaft verbinden können.

Nicht jedes Thema lässt sofort erkennen, was eigentlich in ihm steckt, und welche der vier Kriterien damit erfüllt werden können:

Deutschland und seine Autos

Dieses Thema hat eindeutig einen Deutschlandbezug, es erlaubt aber auch einen interkulturellen Vergleich mit Ihrem eigenen Land. Es ist durchaus sinnvoll, in der Ausarbeitung auch dazu Stellung zu nehmen, welche Bedeutung das Auto in Ihrem Land hat. Außerdem können Sie die Vor- und Nachteile diskutieren, die das Statussymbol Auto in Deutschland (und in Ihrem Land) hat, und schließlich eine Botschaft anschließen: „Wir brauchen mehr/weniger Autos, nicht nur in Deutschland."

Achten Sie also darauf, bei der Ausarbeitung Ihres Referats möglichst alle vier Kriterien zu berücksichtigen.

Übung 6

Lesen Sie die folgende Themenliste. Notieren Sie neben den Themen, welche der vier Kriterien eindeutig erfüllt werden und welche möglich sind.

- Deutschland und seine Autos
- Idole in Deutschland und bei uns
- Der Schrebergarten – eine deutsche Idylle?
- Doping im Spitzensport
- Die Olympischen Spiele – Idee und Wirklichkeit
- Die Bio-Welle in Deutschland – und bei uns?
- Lohnt es sich, Deutsch zu lernen?
- Elektromobilität – ein Zukunftsmodell für Deutschland?
- Zivilcourage muss sein, aber wo sind die Grenzen?
- Rauchverbot in Deutschland
- Was ist deutsch an den Deutschen Schulen im Ausland?
- Viele Deutsche wandern aus – Warum?
- Atomausstieg in Deutschland, eine Alternative für Europa / unser Land?
- Was tun gegen den Klimawandel?
- Kultursubventionen – ein Modell für unser Land?
- Die Arbeit des Goethe-Instituts in unserem Land
- Macht und Bedeutung einer freien Presse
- Soziale Netzwerke und ihre gesellschaftliche Bedeutung
- Verbraucherschutz in Deutschland
- Das Bild der Deutschen im Ausland

Wie Sie sicher bemerkt haben, gibt es viele interessante Themen, die nicht alle Kriterien auf den ersten Blick erfüllen. Die meisten Themen erlauben es aber, in der Ausarbeitung fehlende Kriterien noch zu berücksichtigen. Je genauer Sie das machen, umso sicherer sind Sie, dass Sie das Thema inhaltlich zu Ende gedacht haben, und dass im anschließenden Gespräch keine überraschenden Fragen auftauchen.

Neben den frei zu wählenden Themen gibt es auch Themen, die aus einem Projekt in der Schule entstehen können. Diese Themen müssen Sie besonders präzise formulieren, damit sich die individuellen Inhalte, die Sie präsentieren wollen, deutlich von dem unterscheiden, was die anderen Gruppenmitglieder in ihren Referaten präsentieren wollen. Die Prüfer/Prüferinnen müssen Ihre persönliche Leistung klar erkennen können. Eine Gemeinschaftsarbeit ist im Rahmen der Prüfung nicht erlaubt.

Themen, die aus einem Projekt abgeleitet werden, müssen Sie genau mit Ihrem Lehrer / Ihrer Lehrerin und gegebenenfalls mit den anderen Projektmitgliedern besprechen.

Egal, ob Sie ein frei gewähltes Thema oder ein projektbezogenes Thema gewählt haben, in beiden Fällen können Sie bei der Ausarbeitung Ihrer Präsentation vorgehen wie im Folgenden beschrieben.

Übung 7

a **Notieren Sie mindestens ein eigenes Thema, das möglichst alle vier Kriterien erfüllt.**

Mein Thema: ______________________________

b **Erklären Sie in Stichworten, inwieweit das Thema die vier Kriterien erfüllt.**

Schritt 2: Finden Sie geeignete Quellen.

Wo und wie Sie am schnellsten die gesuchten Informationen finden, hängt natürlich vom Thema ab. Heutzutage werden die meisten zuerst an das Internet denken. Und ganz sicher ist dieses Medium auch sehr gut für die Recherche zu einem Thema geeignet. Hier sind zwei Seiten, die sehr gut über Deutschland informieren. Die zweite Seite gibt es auch in sehr vielen anderen Sprachen, sehr wahrscheinlich auch in Ihrer Muttersprache:

MEMO
Sobald das Thema steht, mit der Recherche beginnen.

www.deutschland.de
www.tatsachen-ueber-deutschland.de

Außerdem finden Sie natürlich über Wikipedia und über eine der vielen Suchmaschinen im Internet viele nützliche Informationen über Deutschland. Denken Sie daran, dass Sie deutschsprachige Seiten schneller finden, wenn Sie bei der Suchmaschine die Sprache so einstellen, dass vor allem deutsche Webseiten angezeigt werden.

Wenn Sie Ihre Internetrecherche auf deutsche Internetseiten konzentrieren, ist es am Anfang etwas schwieriger, alle Informationen zu verstehen, da die Webseiten natürlich für Leute gemacht sind, die Deutsch als Muttersprache sprechen. Der Vorteil ist aber, dass Sie dabei die richtigen Wörter kennenlernen, die Sie für das Thema Ihrer Präsentation brauchen.

MEMO
Deutschsprachige Internetseiten helfen, den Wortschatz zu erweitern.

Bei allen Vorzügen des Internets, insbesondere wenn es um Aktualität der Informationen geht, ist dieses Medium aber nur eine Möglichkeit, sich Informationen über Deutschland zu beschaffen. Daneben gibt es viele andere Quellen, die Sie nutzen können:

- Ihr Deutschlehrer / Ihre Deutschlehrerin und andere Lehrer/Lehrerinnen aus Deutschland
- Deutsche, die in Ihrer Stadt/Region leben
- deutsche Freunde, die zu Besuch kommen oder mit denen Sie E-Mails austauschen
- Internetforen mit deutschen Partnern
- deutsche Institutionen in Ihrem Land, zum Beispiel das Goethe-Institut (auch im Internet: www.goethe.de), die Deutsche Botschaft oder das Konsulat, die Deutsche Industrie- und Handelskammer, die Vertretung der Deutschen Lufthansa
- Reisebüros mit Broschüren über Deutschland
- deutsche Vereine/Restaurants in Ihrer Stadt
- die deutsche Kirchengemeinde in Ihrer Stadt
- Ihr Deutschbuch
- die Schulbibliothek mit Büchern, Zeitschriften und DVDs
- Deutsche Welle – TV (auch im Internet: www.deutsche-welle.de)

Wichtig ist vor allem, dass das Material, das Sie dort finden, zuverlässig und möglichst aktuell ist. Niemand interessiert sich für Informationen, die veraltet sind. So sollten Sie zum Beispiel eine Statistik über die Wirtschaftsdaten in Deutschland, die schon ein paar Jahre alt ist, gar nicht erst verwenden.

Bei allen Themen empfiehlt es sich, in der Vorbereitungsphase ein Portfolio aufzubauen, in dem Sie Texte, Materialien, Links zu Webseiten u. Ä. zum Thema sammeln. Dabei sollten Sie sich von dem Prinzip leiten lassen, mehr zu wissen, als Sie in Ihrer Präsentation (aus Zeitgründen) sagen können.

MEMO

Zum Thema mehr Wissen aneignen, als Sie für das Referat brauchen.

Und noch ein Hinweis: Suchen Sie nicht nur nach Texten, sondern von Anfang an auch nach geeigneten Materialien für die Präsentation, zum Beispiel Audios oder Videos, Plakate, Fotos u. Ä.

Schritt 3: Erarbeiten Sie das Thema und machen Sie eine Stoffsammlung.

Nachdem Sie sich für ein Thema entschieden haben, müssen Sie das Thema erarbeiten und eine Stoffsammlung machen. Die sogenannten W-Fragen können helfen, gezielt nach Informationen zu suchen und nichts zu vergessen, was bei Ihrem Thema wichtig sein könnte.

MEMO

Das Thema mit W-Fragen erarbeiten und eine Stoffsammlung machen.

Nehmen wir an, Sie haben sich für das Thema „Was tun gegen den Klimawandel?" entschieden. Mithilfe der W-Fragen können Sie sich schnell einen Überblick verschaffen und wissen danach, nach welchen Informationen Sie suchen müssen.

Übung 8

Vervollständigen Sie in dieser Mindmap die fehlenden Fragepronomen und fügen Sie weitere W-Fragen hinzu.

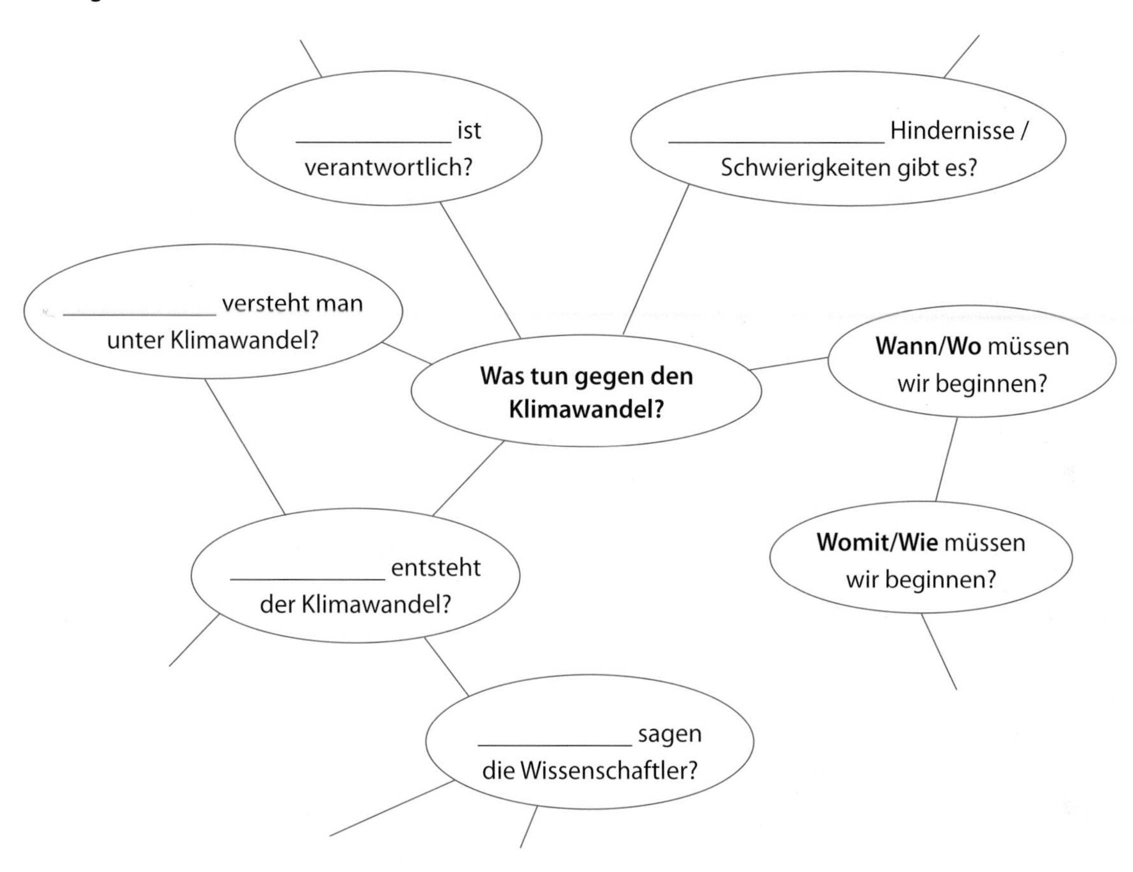

Mit W-Fragen lassen sich alle Themen aus unserer Liste erarbeiten. Besonders bei umfangreichen Themen helfen die W-Fragen, sich auf die die wesentlichen Dinge zu konzentrieren.

Übung 9

Erstellen Sie zu dem Thema „Olympische Spiele – Idee und Wirklichkeit" eine Mindmap mit W-Fragen.

Wenn Sie alle W-Fragen, die Sie an ein Thema stellen, genau beantworten, entsteht eine umfangreiche Sammlung von Informationen, die sogenannte Stoffsammlung. Aus einigen Antworten auf die W-Fragen werden sich neue Fragen und Antworten ergeben. Die sind natürlich auch wichtig.

Recherchieren Sie mehrere Quellen, bevor Sie sich mit den Informationen zufriedengeben. Denken Sie dabei immer auch schon an geeignete Materialien für Ihre Präsentation.

Vor allem im Internet gibt es unendlich viele Quellen. Manche sind zuverlässiger als andere. Wenn Sie die Qualität Ihrer Informationen nicht selbst einschätzen können, fragen Sie Ihren Lehrer / Ihre Lehrerin.

MEMO

In mehreren unterschiedlichen Quellen recherchieren.

Ziel der Stoffsammlung ist es, alle wichtigen Fakten und Materialien zusammenzutragen, die Sie für Ihr Thema benötigen. Denken Sie bei der Recherche aber auch daran, nach konkreten Belegen, zum Beispiel Zahlen, Statistiken, Zitaten von anerkannten Personen / aus anerkannten Qualitätszeitungen oder Fachbüchern etc., zu suchen.

Schritt 4: Ordnen Sie das Material und erstellen Sie eine Gliederung.

Wahrscheinlich ist Ihre Stoffsammlung nach einer gründlichen Recherche so umfangreich, dass Sie nicht alle Informationen, Belege und Beispiele und Ihre Überlegungen dazu in Ihrer Präsentation verwenden können. Sie müssen also eine Auswahl treffen und die relevanten Punkte in einer Gliederung ordnen.

MEMO

Aus den recherchierten Informationen eine Auswahl treffen.

Es gibt sehr unterschiedliche Gliederungskonzepte. Alle haben aber gemeinsam, dass Sie die inhaltlich wichtigen Punkte zusammenfassen und in eine sinnvolle Reihenfolge bringen. Orientieren Sie sich dabei in erster Linie an dem, was Ihr Lehrer / Ihre Lehrerin Ihnen dazu sagt.

Ein allgemeines Gliederungsschema, das auf (fast) alle Themen passt, sehen Sie hier:

Einleitung:
- Thema nennen
- Begründung für die Wahl des Themas

Hauptteil:
- Informationen und Beobachtungen
- Veranschaulichung durch konkrete Beispiele
- Bewertung der Informationen und Beobachtungen
- Belege für die Bewertung (Zahlen, Statistiken, Zitate von anerkannten Personen / aus anerkannten Qualitätszeitungen etc.)
- Bezug zu Deutschland / interkultureller Vergleich

Schlussteil:
- Schlussgedanke / Empfehlung / Botschaft

Und noch ein Hinweis: Die oben genannten Punkte müssen nicht alle der Reihe nach abgearbeitet werden. Die Beispiele werden in der Regel gemeinsam mit den Informationen und Beobachtungen präsentiert und die Belege in die Bewertung Ihrer Beobachtungen eingearbeitet. Das heißt, die Beispiele und Belege sind normalerweise keine eigenen Gliederungspunkte, sondern Teil der Informationen und Beobachtungen sowie Ihrer Bewertung.

MEMO

Möglichst jeden Gliederungspunkt gleich veranschaulichen, belegen und bewerten.

Bei der Ordnung der Informationen zu Ihrem Thema sollten Sie auf die Wichtigkeit achten. Im Allgemeinen ist es sinnvoll, mit den weniger wichtigen Gesichtspunkten zu beginnen und mit den inhaltlich wichtigen Punkten zu enden.

MEMO
Punkte nach Wichtigkeit ordnen.

Übung 10

Ordnen Sie die Informationen, die Sie zum Thema „Olympische Spiele – Idee und Wirklichkeit" gesammelt haben, nach obigem Gliederungsschema.

Für die Gliederung in Übung 10 gibt es keinen Lösungsvorschlag im Begleitheft. Da es sehr viele Möglichkeiten gibt, diese Themen individuell zu gliedern, sollten Sie Ihre Lösung auch Ihrem Lehrer / Ihrer Lehrerin vorlegen. Er/Sie wird Ihnen sicher sagen können, was Sie noch besser machen können.

Schritt 5: Planen Sie den Einsatz der akustischen und/oder visuellen Materialien.

Wahrscheinlich haben Sie schon während Ihrer Recherche zum Thema geeignete Materialien für Ihre Präsentation gefunden oder sogar ein bestimmtes Thema gewählt, weil Sie über besonders interessantes Audio- oder Videomaterial o. Ä. verfügen.

Wenn nicht, ist jetzt der richtige Moment, den Einsatz der akustischen und/oder visuellen Materialien einzuplanen. Wichtig ist dabei, dass die ausgewählten Medien den Inhalt Ihres Referates ergänzen oder erläutern. Materialien, die nur der Illustration dienen, sind weniger geeignet. Denken Sie also immer daran, was Sie in Ihrer Präsentation inhaltlich sagen möchten und welche Materialien Ihnen bei der Vermittlung Ihrer Botschaft helfen können.

MEMO
Die ausgewählten Materialien sollen den Vortrag inhaltlich ergänzen.

Übung 11

Was für Materialien könnte man für die folgenden Themen auswählen? Notieren Sie möglichst konkrete Beispiele. Recherchieren Sie dazu eventuell im Internet.

- Fußball als gesellschaftliches Phänomen
- Die Olympischen Spiele – Idee und Wirklichkeit
- Rauchverbot in Deutschland
- Atomausstieg in Deutschland, eine Alternative für Europa / unser Land?

Die Materialien (Audios, Fotos, Videos, Plakate, Flugblätter), die Sie präsentieren möchten, können Sie auch in eine Powerpoint-Präsentation einbauen. Aber denken Sie dabei immer daran, dass es nicht so sehr darauf ankommt, dass die Präsentation „schön" ist und viele Effekte enthält, sondern dass es um den Inhalt geht.

MEMO
Auch in einer Powerpoint-Präsentation geht es vor allem um den Inhalt, nicht um die Effekte.

Aus diesem Grund sind auch automatisierte Powerpoint-Präsentationen, in denen die Präsentationsdauer der Folien programmiert ist, nicht zugelassen. Sie dürfen die Software nur dazu verwenden, visuelle oder akustische Materialien an einer bestimmten Stelle in Ihrer Präsentation einzusetzen.

Und noch ein paar Tipps:

- Visuelle Materialien müssen einfach sein; jeder soll schnell erkennen können, was das Wesentliche ist. Dabei kommt es insbesondere auf Schriftgröße, Schrifttypen, (Größe der) Bilder, Lesbarkeit und Übersichtlichkeit an.
- Längere Texte eignen sich auf keinen Fall für eine Präsentation.
- Wenn Sie akustische und/oder visuelle Materialien einsetzen wollen, müssen Sie sich genau überlegen, wo das in Ihrer Präsentation am besten geschieht.
- Audio- und Videoclips sollten nicht länger als 20 Sekunden sein.
- Ganz wichtig ist auch, dass Sie von Anfang an die technischen Möglichkeiten bedenken, die an Ihrer Schule existieren. Am besten, Sie besprechen das frühzeitig mit Ihrem Lehrer / Ihrer Lehrerin.
- Wenn Sie eine Powerpoint-Präsentation planen, machen Sie sich rechzeitig mit der Technik vertraut.

Schritt 6: Formulieren Sie den Text.

Wenn Sie eine Gliederung zum Thema erstellt haben, müssen Sie als Nächstes einen Text formulieren, in dem Sie alle Punkte ausführlich darstellen, die Sie in der Gliederung aufgelistet haben.

Da das Referat frei und mündlich präsentiert wird, unterscheidet es sich deutlich von einem schriftlich formulierten Text. Dennoch ist es sinnvoll, den Vortrag in dieser Übungsphase erst einmal schriftlich auszuformulieren. Das gibt Ihnen die Möglichkeit, Ihren Gedankengang in kontrollierten Schritten zu entwickeln.

- In der Einleitung sollten Sie Ihre Zuhörer darüber informieren, wie Sie zu dem Thema gekommen sind, wann und wo die Sache, von der Sie berichten, stattgefunden hat, worum es dabei geht und was Sie in Ihrem Referat zeigen, machen oder untersuchen wollen.
- Bei einem projektbezogenen Thema sollten Sie auch kurz über die wichtigsten Inhalte und Ziele des Projekts informieren.
- Im Hauptteil Ihres Referates geht es um die logische Entwicklung Ihres Gedankengangs. Da das gesamte Referat nur etwa vier bis fünf Minuten dauern soll, müssen Sie sich auf das Wesentliche konzentrieren und die Informationen gut strukturieren.
- Achten Sie insbesondere darauf, die Inhalte nach dem Prinzip der Wichtigkeit zu ordnen und die logischen Zusammenhänge zwischen Meinungen, Begründungen, Schlussfolgerungen, Beispielen und Lösungsvorschlägen immer klar herauszuarbeiten.

Sie können sich bei der Formulierung der Einleitung und der eigenen Meinung bzw. persönlichen Botschaft im Schlussteil an den Erläuterungen zur *Schriftlichen Kommunikation* im Basistraining (S. 82/83 und 88/89) orientieren.

Denken Sie auch von Anfang an daran, dass Ihr Referat sachlich sein soll, auch wenn Sie eine persönliche Botschaft vermitteln wollen.

MEMO

Sachlich berichten und dennoch eine persönliche Botschaft vermitteln.

Die Formulierung des Textes ist nur ein erster Schritt auf dem Weg zum freien Vortrag. Der Text, den Sie hier geschrieben haben, ist nicht der Text, den Sie vortragen werden. Die Formulierung des Textes dient nur dazu, dass Sie die inhaltlichen Zusammenhänge Ihres Vortrags einmal gründlich durchdenken, ausformulieren, überprüfen (lassen) und gegebenenfalls neu überdenken und formulieren.

Sie sollten den Text auf keinen Fall auswendig lernen. Auch so etwas merkt Ihr Prüfer / Ihre Prüferin sehr schnell und wird Sie wahrscheinlich durch frühe Rückfragen dazu bringen, selbstständig zu formulieren.

> **MEMO**
> *Ausformulierten Vortrag nicht auswendig lernen.*

Und noch ein Hinweis zu den Quellen für Ihr Referat: Sie müssen in Ihrem Referat immer auch die Quellen nennen. Wenn es viele verschiedene Quellen sind, notieren Sie die Namen auf einer Folie und präsentieren Sie diese an geeigneter Stelle während Ihres Vortrags, oder schreiben Sie die Namen auf ein Blatt und händigen Sie dieses Blatt den Prüfern aus, wenn Sie zum ersten Mal auf eine bestimmte Quelle Bezug nehmen.

Wenn Sie sich auf deutschsprachige Quellen beziehen, dürfen Sie die Inhalte nicht einfach abschreiben. Sie müssen die Inhalte in Ihren Worten wiedergeben, zusammenfassen oder – in Ausnahmefällen – wörtlich zitieren. Wörtliche Zitate müssen als solche benannt werden.

Versuchen Sie erst gar nicht, längere Textteile aus einer Quelle im Wortlaut vorzutragen. Ihr Lehrer / Ihre Lehrerin, der/die ja genau weiß, wie gut Sie Deutsch sprechen, wird das schnell bemerken und Sie durch Rückfragen dazu bringen, Ihre eigenen Worte zu verwenden. Aber so etwas irritiert nur und kostet Punkte. Also lassen Sie das sein.

> **MEMO**
> *Texte nicht abschreiben, sondern selbstständig formulieren.*

Für die Ausformulierung Ihres Referates brauchen Sie natürlich einen guten Wortschatz. Noch ist dazu ausreichend Zeit. Und bedenken Sie auch, dass der besondere Wortschatz für Ihr Thema ganz wichtig für das abschließende Gespräch ist. Wenn Sie die passenden Fachwörter, die Sie bei der Vorbereitung gelernt haben, nur in Ihrem Referat anwenden können und später im Gespräch mit dem Prüfer / der Prüferin nicht mehr aktiv verwenden, ist das nur halb so gut, als es sein könnte. Die Wörter müssen Sie also wirklich lernen und üben.

> **MEMO**
> *Mit der Arbeit am Wortschatz rechtzeitig beginnen*

Schritt 7: Notieren Sie die Stichwörter für Ihre Präsentation.

Wenn Sie eine gute Gliederung erstellt haben, ist es leicht, Stichwörter für die Präsentation aufzuschreiben. Mit etwas Übung ist es sogar möglich, allein mit der Gliederung den Vortrag zu halten. Die meisten Schüler und Schülerinnen fühlen sich aber sicherer, wenn sie mehr Stichwörter vor sich haben als die aus der Gliederung.

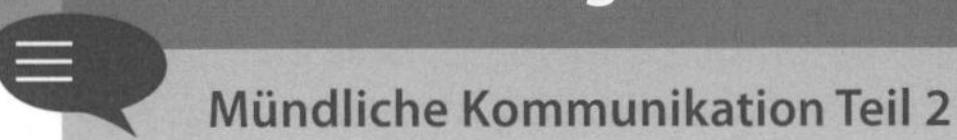

Es ist sinnvoll, diese Stichwörter auf kleine Zettel zu schreiben. Schreiben Sie auf jeden Zettel nur ein paar wenige Punkte, die inhaltlich zusammengehören. Die Zettel müssen Sie natürlich nummerieren, für den Fall, dass sie einmal durcheinandergeraten.

MEMO
Die Stichwörter für die Präsentation auf nummerierte Handzettel schreiben.

Nehmen wir einmal an, Sie haben das Thema „Die Olympischen Spiele – Idee und Wirklichkeit" gewählt, dazu eine umfangreiche Stoffsammlung erstellt und auch schon eine Gliederung gemacht. Jetzt geht es darum, aus der Gliederung die Stichwörter für Ihre Notizzettel zu formulieren, zum Beispiel so:

1. Thema:
- letzte Olympiade in ... (Fanfare anspielen)
- Sieger stehen auf dem Podest (Foto 1: Sieger Hundertmeterlauf)
- Sportler sind Vorbilder, aber:
- Es gibt auch Probleme: Doping, sehr junge Sportler, Manipulationen (Foto 2: sehr junge Turnerinnen)
- Kommerzialisierung (Foto 3: Maskottchen der letzten Olympiade)

2. Begründung für das Thema:
- beeindruckt von Leistungen der Athleten (Folie: Ergebnisse beim Hundertmeterlauf seit 19..)
- aber heute oft enttäuscht: Manipulationen und Kommerzialisierung (Folie: Zeitungsausschnitt mit Bericht über aberkannte Medaillen / Foto von Sportler, der Werbung macht)

3. Informationen über die Idee der Olympischen Spiele

4. Weitere Informationen über die Olympischen Spiele

5. Probleme bei den Spielen

6. Bewertung der Beobachtungen

7. Bezug zu Deutschland / interkultureller Vergleich

8. Empfehlung

Manchmal reicht ein Notizzettel nicht aus, alle Gesichtspunkte zu einem Gliederungspunkt übersichtlich darzustellen. In solchen Fällen können Sie die Notizen natürlich auch auf zwei oder mehr Notizzettel verteilen. Wichtig ist, dass Sie den Überblick nicht verlieren und immer wissen, zu welchem Gliederungspunkt Sie gerade sprechen. Vergessen Sie deswegen nicht, Ihre Notizzettel durchlaufend zu nummerieren.

Übung 12

Vervollständigen Sie die Notizzettel 5 und 6. Recherchieren Sie dazu gegebenenfalls im Internet. Wenn nötig, verteilen Sie Ihre Stichwörter auf mehrere Notizzettel.

5. Probleme bei den Spielen

Doping:
- Methoden werden immer raffinierter (Folie mit Zeitungsausschnitt)
- jedes Jahr mehr Kontrollen nötig (Folie mit konkreten Zahlen)
- internationale Kontrollinstitute nötig (Webseite der Welt-Antidoping-Agentur)

Kosten:

Kommerzialisierung:

6. Bewertung der Beobachtungen

nach wie vor: großes Sportfest ...

leider auch:

trotzdem:

Wenn Ihr Lehrer / Ihre Lehrerin einverstanden ist, können Sie natürlich auch mit der Funktion der Notizzettel im Powerpoint-Programm Ihre Stichwörter notieren und den Folien zuordnen.

Schritt 8: Machen Sie eine Generalprobe.

Im Theater wird kein Stück ohne Generalprobe aufgeführt. Und die mündliche Prüfung ist ja auch ein bisschen Theater. Also brauchen Sie eine Generalprobe und dafür brauchen Sie kritische Zuschauer: Ihre Geschwister, Ihre Freunde, Ihre Eltern, Klassenkameraden oder andere Leute, die Deutsch verstehen.

Wie im Theater stehen Sie vor Ihren Zuhörern, schauen sie an und gestalten Ihre Präsentation. Bitten Sie Ihre Zuhörer vor der Präsentation, Sie nicht zu unterbrechen. Bitte Sie sie auch, sich Notizen zu machen, wenn sie etwas nicht verstehen, etwas besonders gut oder besonders schlecht finden.

Wenn Sie eine Powerpoint-Präsentation vorbereitet haben, achten Sie auf folgende Punkte:

- Stehen Sie bei der Präsentation nicht im Bild (störender Schatten).
- Schauen Sie in erster Linie das Publikum an, nicht die Bilder an der Wand.
- Verwenden Sie, wenn vorhanden, eine Fernbedienung für den Computer/Laptop. Dann können Sie die Folien steuern, ohne auf die Tastatur schauen zu müssen.

Besprechen Sie nach dem Vortrag mit Ihren Zuhörern, was sie beobachtet haben. Und nehmen Sie deren mögliche Kritik bitte ernst. Wenn sie etwas nicht verstanden haben, liegt es wahrscheinlich an Ihnen und nicht an den Zuhörern!

Schritt 9: Bereiten Sie sich auf mögliche Fragen vor.

Wenn Sie mit Ihrem Referat fertig sind, beginnt das abschließende Gespräch über das Referat. Dieses Gespräch beginnt der Prüfer / die Prüferin. Er/Sie wird Ihnen Fragen zu Ihrem Referat stellen. Diese Fragen hängen natürlich vom Inhalt Ihres Referates ab. Aber Sie können sich darauf vorbereiten. Eine Frage, die immer wieder gerne gestellt wird, lautet: Warum haben Sie dieses Thema ausgewählt?

Weil diese Frage eigentlich immer gestellt wird, sollten Sie sie möglichst schon in Ihrem Referat selbst beantworten. Die meisten Prüfer erwarten das. Wenn Sie das aber nicht tun oder vergessen, wird der Prüfer / die Prüferin sehr wahrscheinlich nachfragen und dann sollten Sie eine gute Antwort bereithaben.

Nun müssen Sie überlegen, was der Prüfer / die Prüferin noch zu Ihrem Referat fragen könnte. Und da gibt es immer zwei Bereiche, nach denen gerne gefragt wird: Das sind der Bezug zu Deutschland und der interkulturelle Vergleich. Vor allem, wenn Sie selbst in Ihrem Referat nicht oder nur kurz auf einen interkulturellen Vergleich eingegangen sind, ist es sehr wahrscheinlich, dass jetzt nachgefragt wird.

Grundsätzlich geht es in diesem Gespräch aber nicht nur um Inhalte, sondern auch um die Art und Weise, wie Sie auf Fragen spontan reagieren können. Das ist so ähnlich wie bei dem Gespräch nach Ihrem Kurzvortrag. Lesen Sie dazu noch einmal Schritt 8 in Teil 1 der *Mündlichen Kommunikation* auf Seite 100.

Leseverstehen: Powertraining

Im Powertraining bearbeiten Sie einen ganzen Übungstest. Damit Sie sich daran erinnern, was Sie im Basistraining alles gelernt haben, haben wir für Sie die Schritte und Memos noch einmal abgedruckt.

Leseverstehen Teil 1

Schritt 1: Lesen Sie die Überschrift.

- Schritt 1 und 2 schnell bearbeiten.

Kurze Meldungen

Schritt 2: Schauen Sie sich Überschrift Z und Beispieltext 0 an.

Beispiel:

Z	Riesiges Feuer behindert Flugverkehr

0	In einer Lagerhalle in der Nähe des Nürnberger Flughafens ist gestern ein Großbrand ausgebrochen. Der dichte Rauch zog auch durch die Einflugschneisen der Passagiermaschinen. Einige Flugzeuge wurden vorübergehend in eine Warteschleife geleitet. In der Lagerhalle befanden sich alte Autos sowie Teppiche. Große Hitze und die Rauchentwicklung erschwerten die Löscharbeiten. Der Einsatz dauert bis in die späten Abendstunden. Rund 160 Mann waren im Einsatz. Für den Flugverkehr bestand zu keiner Zeit akute Gefahr, es kam aber zu einigen Verspätungen.	Z

Schritt 3: Lesen Sie alle Überschriften.

- Verkürzte oder unvollständige Überschriften zu vollständigen Sätzen umformulieren.

Aufgaben:

A	Entkommener Vierbeiner beschädigt Auto
B	Fahrlehrer für Autounfall verantwortlich
C	Verkehrsstau durch freilaufendes Tier
D	Hund verursacht schweren Verkehrsunfall
E	Lokomotive stürzt ab
F	Betrügerisches Pärchen festgenommen
G	Hauptverkehrsstraße wegen Löscharbeiten gesperrt
H	Schwerer Brand im Hafengebiet
I	Bankautomat in Kaufbeuren aufgebrochen

Schritt 4: Markieren Sie die wichtigen Informationen im ersten Text.

- Nicht alle Texte auf einmal lesen. Zeit sparen.

1	Auf der Autobahn Nürnberg–Passau hat ein Hund den Verkehr zeitweise stark behindert. Ein Auto war ins Schleudern geraten und gegen die Leitplanke gestoßen. Dabei ging die Tür auf und der Hund sprang auf die Fahrbahn. Minutenlang rannte das Tier auf der stark befahrenen Autobahn hin und her und brachte den gesamten Verkehr zum Stehen. Erst nach dem Eintreffen der Polizei gelang es, das völlig verängstigte Tier einzufangen. Verletzt wurde bei dem Unfall niemand. Auch der Hund blieb unversehrt.	

Schritt 5: Finden Sie eine passende Überschrift für den ersten Text.

- Meistens gibt es zwei oder mehr ähnliche Überschriften.
- Verwendete Überschriften durchstreichen.

Schritt 6: Bearbeiten Sie die übrigen Texte wie in Schritt 4 und 5 beschrieben.

- Schon im ersten Durchgang unbedingt eine Lösung notieren.

2	Beim Brand einer Lagerhalle im Regensburger Hafen ist ein Millionenschaden entstanden. Menschen wurden nicht verletzt. Das rund 2 000 Quadratmeter große Gebäude auf dem Hafengelände im Ostteil der Stadt hatte laut Polizei in der Nacht zum Dienstag aus noch ungeklärter Ursache Feuer gefangen. In der Halle einer Spedition waren Schaltanlagen für Transformatoren und leere Konservendosen eingelagert. Während der Löscharbeiten musste wegen der starken Rauchentwicklung zeitweise die an der Halle vorbeiführende Bundesstraße B 8 gesperrt werden.	
3	Nach monatelangen Ermittlungen hat die Polizei einen Mann und eine Frau festgenommen, die an verschiedenen Geldautomaten in Südbayern bereits rund 350 000 Euro erbeutet hatten. Gefasst wurden der 26-Jährige und seine 20 Jahre alte Freundin in Kaufbeuren, wo sie an einem Geldautomaten vor einer Bank ein spezielles Lesegerät angebracht hatten. Mithilfe solcher Geräte war es den Betrügern möglich, die Kartendaten der Bankkunden auszulesen. Danach hatten sie Duplikate der EC-Karten hergestellt und damit Geld abgehoben.	
4	Ein Hund hat sich in Sulzbach-Rosenberg samt einem Fahrradständer, an dem er festgebunden war, selbstständig gemacht. Der Besitzer hatte den Hund vor einem Geschäft am Luitpoldplatz an dem zirka 40 Kilogramm schweren Ständer angeleint. Als er nach wenigen Minuten zurückkam, war der Hund verschwunden. Dem Hundehalter gelang es erst im Stadtpark, seinen Hund wieder einzufangen. Das Tier hatte mit dem Fahrradständer die halbe Altstadt durchquert und dabei erheblichen Schaden an einem geparkten Pkw angerichtet.	

5	Ungewöhnliches Ende einer Fahrstunde: Eine Diesellok ist am frühen Donnerstagmorgen entgleist und auf eine Straße gestürzt. Die beiden Insassen, ein Fahrlehrer mit seinem Schüler, blieben unverletzt. Offenbar fuhren die beiden während einer Ausbildungsfahrt auf ein totes Gleis. Wo früher einmal eine Brücke war, stand nun nur noch ein Prellbock. Doch die schwere Maschine rammte das Hindernis offenbar mühelos weg und stürzte fünf Meter tief auf eine Straße. Dort befand sich zum Unfallzeitpunkt laut Polizei glücklicherweise kein Auto.	

Schritt 7: Kontrollieren Sie Ihre Lösungen.

- Wenn noch Zeit ist, vergleichen Sie Texte und Überschriften noch einmal miteinander: Worum geht es im Text? Was steht in der Überschrift?
- Haben Sie jedem Text einen Buchstaben zugeordnet?
- Haben Sie jeden Buchstaben nur einmal verwendet?

Leseverstehen Teil 2

Schritt 1: Verschaffen Sie sich einen ersten Eindruck vom Text.

- Nur Anfang und Ende des Textes lesen. Zeit sparen.

Simple Schreibübung senkt Prüfungsangst

Es klingt nach Küchenpsychologie, soll aber wirklich funktionieren: Wer vor Tests weiche Knie bekommt und schnell atmet, sollte sich schriftlich seiner Angst stellen. Das verbessert die Leistung wesentlich, zeigt jetzt eine Studie. An den Lernstoff denken macht es dagegen nur schlimmer.

...

Die Leiterin des Forschungsteams erklärt den Effekt mit der Belastung des präfrontalen Kortex, einer Hirnregion, die wie ein Arbeitsspeicher funktioniere. Wenn sich Ängste aufbauten, werde dieser Arbeitsspeicher überbeansprucht, mit dem normalerweise über anstehende Denkaufgaben gegrübelt werde. Das reduziere die Gehirnleistung der Teilnehmer, die sie für den Test benötigten. Vor der Prüfung über die Ängste zu schreiben führe dazu, die nötige Denkkapazität für den eigentlichen Test freizuräumen, so die Forscherin.

Schritt 2: Markieren Sie die wichtigen Informationen in den Aufgaben.

- Schlüsselwörter unterstreichen. Andere wichtige Wörter einkreisen.
- Schwierige Aussagen in einfache Sätze umwandeln.

		richtig	falsch	Der Text sagt dazu nichts
		A	B	C
6	Die Studie zeigt, dass Angst vor einer Prüfung völlig normal ist.			
7	Forscher testeten die Mathematikkenntnisse von Schülern und Studenten.			
8	Bei mehreren Tests wurden die Studenten unterschiedlichem psychischem Druck ausgesetzt.			
9	Vor dem zweiten Testlauf sollte die Hälfte der Studenten zehn Minuten über ihre Prüfungsangst schreiben.			
10	Die Gruppe, die vor der Prüfung über die Inhalte nachdenken sollte, erzielte bessere Ergebnisse.			
11	Diese Methode der Prüfungsvorbereitung funktioniert auch bei Schülern mit großer Prüfungsangst.			
12	Die Studie hat wichtige Erkenntnisse über den Aufbau des menschlichen Gehirns geliefert.			

Schritt 3: Finden Sie die passende Textstelle zu jeder Aussage.

- Aufgabe lesen und sich die Aussage genau merken.
- Den Text bis zu der Stelle lesen, an der Informationen stehen, die zur Aufgabe passen.
- Am Ende einer Textstelle immer einen senkrechten Strich machen.
- Wörtliche Übereinstimmungen zwischen Aufgabe und Text können in die Irre führen.
- Die passenden Textstellen und die Aufgaben stehen immer in derselben Reihenfolge.
- Zu jedem Abschnitt gibt es immer entweder eine Aufgabe oder keine.

Simple Schreibübung senkt Prüfungsangst

Es klingt nach Küchenpsychologie, soll aber wirklich funktionieren: Wer vor Tests weiche Knie bekommt und schnell atmet, sollte sich schriftlich seiner Angst stellen. Das verbessert die Leistung wesentlich, zeigt jetzt eine Studie. An den Lernstoff denken macht es dagegen nur schlimmer.

Wer seine Ängste zu Papier bringt, wird mit ihnen besser fertig. Eine einfache Erkenntnis, die Forscher nun aber für Mathematikstudenten und Schüler auch wissenschaftlich belegt haben. Sie setzten ihre Testpersonen teils unter künstlichen Stress, teils untersuchten sie deren Ergebnisse bei realen Prüfungssituationen. Ergebnis: Wer sich vorher die Ängste von der Seele schreibt, erzielt signifikant bessere Ergebnisse als Kandidaten, die das nicht tun. Das belegt die Studie einer Forschergruppe, die mit 20 Studenten arbeitete. Die Psychologen stellten den Studenten zwei kurze Mathematikaufgaben.

Im ersten Test sagten sie den Teilnehmern nur, sie sollten ihr Bestes geben. Für den zweiten Test steigerten sie den psychischen Druck gleich mehrfach: Wer gut abschneide, werde Geld bekommen. Außerdem hänge von ihrem individuellen Abschneiden der Erfolg des Teams ab. Und obendrein

würden sie beim Lösen der Aufgabe gefilmt und anschließend würde ein Mathematiklehrer die Ergebnisse überprüfen.

Vor dem zweiten Test bekamen zehn Studenten für zehn Minuten die Gelegenheit, ihre Ängste möglichst ungefiltert aufzuschreiben, während die zehn anderen einfach nur still sitzen sollten.

Ergebnis: Die Studenten, die sich die Prüfungsangst von der Seele schreiben konnten, lieferten „signifikant bessere Ergebnisse". Die Kontrollgruppe, die nichts über ihre Ängste geschrieben hatte, schnitt um 12 Prozent schlechter ab als im ersten Test ohne künstlichen Stress. Die Schreibgruppe wiederum schnitt im Stresstest sogar um fünf Prozent besser ab als in der ersten, unbeeinflussten Runde.

Ähnliche Ergebnisse lieferte ein Versuch mit Schülern einer 9. Klasse. Sechs Wochen vor einer Biologieabschlussprüfung fragten die Forscher die Schüler nach ihrer Prüfungsangst. Vor den Tests gaben sie einigen Schülern die Aufgabe, über ihre Ängste zu schreiben, die anderen sollten über Inhalte der Prüfung nachdenken. Auch hier zeigte sich: Selbst Schüler mit großer Prüfungsangst, die darüber geschrieben hatten, schafften einen besseren Biologie-Abschluss als weniger ängstliche Mitschüler. Bei den Grüblern hingegen lag die Abschlussnote schlechter als ihr Jahresdurchschnitt.
Die Leiterin des Forschungsteams erklärt den Effekt mit der Belastung des präfrontalen Kortex, einer Hirnregion, die wie ein Arbeitsspeicher funktioniere. Wenn sich Ängste aufbauten, werde dieser Arbeitsspeicher überbeansprucht, mit dem normalerweise über anstehende Denkaufgaben gegrübelt werde. Das reduziere die Gehirnleistung der Teilnehmer, die sie für den Test benötigten. Vor der Prüfung über die Ängste zu schreiben führe dazu, die nötige Denkkapazität für den eigentlichen Test freizuräumen, so die Forscherin.

Schritt 4: Überprüfen Sie Ihre Lösungen.

- Kontrollieren Sie noch einmal alle Textstellen und Aussagen der Reihe nach. Vergleichen Sie dabei die Informationen im Text genau mit den Aussagen.
- Denken Sie daran: Zu jedem Abschnitt gibt es immer entweder eine Aussage oder keine.
- Achten Sie darauf, dass Sie bei allen Aufgaben nur jeweils ein Kreuz gemacht haben.

Leseverstehen Teil 3

Schritt 1: Verschaffen Sie sich einen ersten Eindruck vom Text.

- Überschrift und Text bis zur ersten Lücke (0) lesen.

Technik allein bringt's nicht

Statt zu sinken, steigen die globalen CO_2-Emissionen weiter an. Der Optimismus, allein mit neuen Technologien das Klima zu retten, ist hierzulande dennoch ungebrochen. Smart Grids, Elektromobile, neue Leichtbaumaterialien: (0) ___Z___. Doch solche isoliert technologischen Ansätze stoßen zunehmend an Grenzen.

…

Schritt 2: Lesen Sie die Sätze (A–G) und markieren Sie Informationen, die sich (wahrscheinlich) auf den Text davor beziehen.

- Manchmal gibt schon der Satzanfang einen Hinweis auf den Text davor.
- Manchmal beziehen sich Informationen im Satz auf den Text davor.

Z	Darin sehen Regierung und Opposition die Lösung aller Probleme.
A	Letztere müssen aufwendig entwickelt, erprobt, verbessert und in Märkten durchgesetzt werden.
B	Zwei tun sich zusammen und werden damit in der Summe zu einem ganzen Vegetarier.
C	Das kann man gut an der Entwicklung der Elektromobilität sehen, die schon seit Jahrzehnten andauert.
D	Der Versuch, das Klima durch Kraftstoffe aus nachwachsenden Rohstoffen zu entlasten, führte zu einer massiven Abholzung von Regenwaldgebieten.
E	Statt Klimaanlagen zu betreiben, wurde beispielsweise der Dresscode gelockert: Pulli statt Jackett.
F	Das sind besonders umweltbewusste Vegetarier, die sich zusammentun und nur noch die Hälfte essen.
G	Soziale Innovationen hingegen können breit und daher mit noch größerem Erfindungsgeist in der Gesellschaft ausgelöst werden.

Schritt 3: Lesen Sie den Text und finden Sie zu jeder Lücke den passenden Satz.

- Immer nur bis zur nächsten Lücke lesen.
- Wichtige Informationen markieren und das Thema in diesem Abschnitt erkennen.
- Wichtige Informationen im Text mit den markierten Informationen im Satz vergleichen.
- Sätze, die passen, durchstreichen.
- Auch der Satz/Text nach einer Lücke muss zu dem eingefügten Satz passen.
- Ein passender Satzanfang kann in die Irre führen.
- Ob ein Satz passt, entscheidet letztlich der Kontext.
- Bei Zweifeln Nummer der Lücke neben den Satz schreiben und ein Fragezeichen machen.

… Die Biosprit-Debatte hat das deutlich gemacht: (13) ______. Die ökologisch scheinbar sauberen Energiesparlampen enthalten gefährliches Quecksilber. Leichtbaumaterialien sind oft schwer zu entsorgen. Oder es kommt zu „Rebound“-Effekten, das heißt: Effizientere Produkte führen dazu, dass wir mehr verbrauchen. Beispiele dafür sind die Energiesparlampe, die wegen der geringeren Stromkosten die ganze Nacht im Garten brennt, oder die effizientere Gefriertruhe, die dazu verführt, das alte Gerät in den Keller zu stellen und dort den Braten für die Festtage frühzeitig einzulagern. Auch in der Industrie schafft mehr Energieeffizienz zwar auf den ersten Blick eine Entlastung für die Umwelt, die niedrigeren Kosten eröffnen aber meist auch die Chance, mehr Produkte zu verkaufen.

Obwohl also die Techno-Fixierung nicht weit genug trägt, werden soziale Innovationen als Träumerei einiger besonders eifriger Weltverbesserer belächelt. Dabei hat es gleich mehrere Vorteile, wenn Konsumenten ihr Verhalten ändern oder große Städte Mobilität und Zusammenleben ihrer Bürger klimafreundlich organisieren:

Soziale Innovationen sind viel schneller umsetzbar als neue Technologien. (14) ______. Das kann Jahrzehnte dauern. Der heutige Stand regenerativer Energietechnologien hat über 20 Jahre Entwicklung gebraucht, beim Elektroauto dauert die Forschung schon ähnlich lange. Je mehr die Zeit beim Klimawandel drängt, desto wichtiger werden aber Änderungen, die kurzfristig greifen. Dass das möglich ist, zeigte Japan nach der Katastrophe von Fukushima. Ohne nennenswerte Einschränkungen wurden Energieeinsparungen von 15 bis 20 Prozent erreicht. (15) ______. Die flächendeckende Einführung von Tempo 100 auf deutschen Straßen würde nach Berechnungen des Umweltbundesamtes unmittelbar rund fünf Prozent Kraftstoffeinsparung bringen.

Soziale Innovationen benötigen überdies kaum Kapital. Und das wird angesichts von neun Milliarden Menschen weltweit im Jahr 2050 und der Herausforderung, in den Entwicklungs- und Schwellenländern die Infrastruktur auszubauen, immer knapper werden.

Technologische Innovationen sind in aller Regel auf kapitalkräftige Unternehmen und auf ein leistungsfähiges Forschungssystem angewiesen. Damit steht diese Art von Innovationen nur bestimmten Teilen der Welt offen. Außerdem wird die Richtung der Innovationen durch einen kleinen Kreis von Experten bestimmt. (16) ______. Jede Nachbarschaftsinitiative oder Solargenossenschaft ist eine solche soziale Innovation. Hier kann jeder mitmachen, gleich, ob Malermeister oder Zahnärztin.

International ermöglichen soziale Innovationen ein respektvolles Lernen. So können wir zum Beispiel von Indiens vegetarischer Kultur genauso lernen wie von der Fahrradkultur in Kopenhagen, in der es heute selbstverständlich ist, mit dem Rad zur Arbeit zu kommen. Oder man denke an die schöne Idee des „Halbzeitvegetariers": (17) ______.

Dabei gilt: Soziale Innovationen verdrängen technologische Innovationen nicht, sie betten sie oft intelligent ein. Regionen mit erneuerbarer Energie oder Car-Sharing sind schöne Beispiele. Wir müssten ihnen nur mehr Aufmerksamkeit schenken.

Schritt 4: Kontrollieren Sie Ihre Lösungen.

- Hört sich alles richtig an? Sind die Satzanfänge logisch?
- Stimmt die Bedeutung des Textes? Passen die eingefügten Sätze zum Thema des Abschnitts?
- Haben Sie jeden Buchstaben nur einmal verwendet?
- Haben Sie alle Lücken gefüllt?

Leseverstehen Teil 4

Schritt 1: Verschaffen Sie sich einen ersten Eindruck vom Text.

- Die beiden ersten Abschnitte des Textes lesen. Schluss kurz überfliegen.

Meeresspiegel könnte schneller steigen als erwartet

Auf der ganzen Welt wird befürchtet, dass der Meeresspiegel in den nächsten Jahrzehnten deutlich steigen wird und dass dadurch viele Inseln und Länder, die am Meer liegen, Probleme bekommen werden. Eine wichtige Rolle kommt dabei dem Eis in der Antarktis zu.

Ähnlich wie die Gletscher auf der ganzen Welt, so schmilzt auch der dicke Eispanzer in der Antarktis. Bisher schien der Klimawandel in der Antarktis kaum Wirkung zu zeigen. Doch das ist wohl ein Irrtum. Jedenfalls belegen zwei neue Studien deutscher und britischer Forscher, dass noch in diesem Jahrhundert eine gewaltige Veränderung bei den Eismassen in der antarktischen Region möglich ist.

...

Nach Meinung der Forscher wird das abgepumpte Grundwasser in den kommenden Jahren ähnlich wichtig werden wie die weltweit schmelzenden Gletscher oder das Eis in Grönland und das Inlandeis der Antarktis.

Schritt 2: Markieren Sie die wichtigen Informationen in den Satzanfängen der Aufgaben 18–23.

- Die Satzanfänge reichen, um die passenden Textstellen zu finden.

Aufgaben 18–24

18 Die beiden neuen Studien zeigen, dass der Klimawandel

A ☐ die Gletscher weltweit schmelzen lassen wird.

B ☐ weltweit nur geringe Auswirkungen haben wird.

C ☐ in der Antarktis zu großen Änderungen führen wird.

19 Das Schelfeis ist wichtig, weil es verhindert, dass

A ☐ das Inlandeis schnell vom Festland abfließt.

B ☐ die Eisströme auf dem Land hängen bleiben.

C ☐ die Gletscher vom Land ins offene Meer treiben.

20 Die neuen Untersuchungen zeigen, dass das Schelfeis

A ☐ in riesigen Mengen vom Land ins Meer rutschen wird.

B ☐ durch wärmeres Wasser wahrscheinlich schmelzen wird.

C ☐ bis Ende des Jahrhunderts immer mächtiger wird.

21 Es könnte bald zu einem gewaltigen Eisrutsch kommen, weil

A ☐ das Becken mit dem Inlandeis fast so groß ist wie die Niederlande.

B ☐ das Schelfeis viel brüchiger ist als das Eis von den Gletschern.

C ☐ der Boden unter dem Inlandeis besonders steil und rutschig ist.

22 Der Anstieg des Meeresspiegels hat damit zu tun, dass

A ☐ immer mehr Wasser zur Bewässerung verwendet wird.

B ☐ abgepumptes Grundwasser heute in den Boden zurückfließt.

C ☐ schon früher große Mengen an Grundwasser ins Meer flossen.

23 Für ihre Voraussagen haben die Forscher

A ☐ die Menge des Grundwassers auf der ganzen Welt neu berechnet.

B ☐ den Anstieg des Meeresspiegels bis heute nachgemessen.

C ☐ den Wasserverbrauch mit dem vorhandenen Grundwasser verglichen.

---

24 In diesem Text geht es hauptsächlich um

A ☐ den Klimawandel und seinen Einfluss auf den Wasserhaushalt der Natur.

B ☐ die Ursachen für den globalen Anstieg des Meeresspiegels.

C ☐ das Abpumpen von Grundwasser und seinen Einfluss auf den Meeresspiegel.

Schritt 3: Finden Sie die passende Textstelle zu den Aufgaben 18–23.

- Aufgaben und Textstellen kommen immer in derselben Reihenfolge.
- Nummer der Aufgabe neben die passende Textstelle schreiben.
- Bei Unsicherheit Nummer mit Fragezeichen neben den Textabschnitt schreiben.
- In Abschnitten arbeiten. Nie mehrere Abschnitte hintereinander lesen.
- Vor jedem Textabschnitt noch einmal die Informationen aus der Aufgabe nachlesen.

Meeresspiegel könnte schneller steigen als erwartet

Auf der ganzen Welt wird befürchtet, dass der Meeresspiegel in den nächsten Jahrzehnten deutlich steigen wird und dass dadurch viele Inseln und Länder, die am Meer liegen, Probleme bekommen werden. Eine wichtige Rolle kommt dabei dem Eis in der Antarktis zu.

Ähnlich wie die Gletscher auf der ganzen Welt, so schmilzt auch der dicke Eispanzer In der Antarktis. Bisher schien der Klimawandel in der Antarktis kaum Wirkung zu zeigen. Doch das ist wohl ein Irrtum. Jedenfalls belegen zwei neue Studien deutscher und britischer Forscher, dass noch in diesem Jahrhundert eine gewaltige Veränderung bei den Eismassen in der antarktischen Region möglich ist.

Wie die Wissenschaftler herausgefunden haben, ist insbesondere eine 470 000 Quadratkilometer große Schelfeis-Fläche im Weddellmeer bedroht. Als Schelfeis werden große, auf dem Meer schwimmende Eisplatten bezeichnet. Diese sind mit einem Gletscher an Land verbunden. Das Schelfeis ist für das Inlandeis wie ein Korken in der Flasche. Es bremst die Eisströme, weil es in den Buchten überall an Felsen hängen bleibt oder zum Beispiel auf Inseln aufliegt und nur langsam ins offene Meer treibt.

Von den Rändern des Schelfeises brechen immer wieder Eisberge ab und treiben ins offene Meer. Ungefähr ein Viertel des gesamten Eisabflusses der Antarktis erfolgt über das Schelfeisgebiet im Weddelmeer. Auf diese Art wird der natürliche Zuwachs an Eis auf dem Lande wieder ausgeglichen.

Bisher war die Eisplatte so dick und mächtig, dass wärmeres Wasser nicht unter das Schelfeis strömen konnte. Die steigenden Lufttemperaturen führen aber dazu, dass das bisher solide Eis immer mehr Risse bekommt und langsam brüchig wird. Wie neuere Simulationen am Computer zeigen, könnte sich dadurch das Schelfeis bis zum Ende des Jahrhunderts von unten auflösen. In den nächsten Jahrzehnten wird das wahrscheinlich eine Kettenreaktion auslösen, an deren Ende vermutlich große Massen der Gletscher vom Land in den Ozean abrutschen werden.

Bis es dazu kommt, würden an der Unterseite des Inlandeises 1600 Milliarden Tonnen Eis pro Jahr abschmelzen – das ist ungefähr zwanzigmal so viel wie die heutige Menge. Während schmelzendes Schelfeis keinen Einfluss auf die Höhe des Meeresspiegels hat, da es ja bereits im Meer schwimmt, würde abschmelzendes Inlandeis zu einem deutlichen Anstieg des Wasserspiegels weltweit führen. Insgesamt rechnen die Forscher mit 40 Zentimetern bis zum Ende des Jahrhunderts, und zwar zusätzlich zu dem Anstieg, der durch andere, bereits bekannte Auslöser verursacht wird. Das würde die Situation an den gefährdeten Küsten deutlich verschärfen.

Ein weiterer Faktor, der nach Aussagen der Wissenschaftler bisher nicht berücksichtigt wurde, ist die Bodenbeschaffenheit unter dem Inlandeis. Demnach existiert in der Region ein großes, steil abfallendes Becken mit glattem Grund, das einem Eisrutsch wenig entgegensetzen würde. Das zweigeteilte Becken ist mit einer Fläche von 20 000 Quadratkilometern fast halb so groß wie die Niederlande. Es hat steile, relativ glatte Wände, die der Unterseite des Gletschers wenig Halt geben. Das Eis in dieser Region ist daher viel weniger stabil als bisher angenommen und könnte in Verbindung mit dem brüchig werdenden Schelfeis innerhalb relativ kurzer Zeit zu einem gigantischen Eisrutsch in der Antarktis führen.

Aber nicht nur das schmelzende Eis führt zu einem Anstieg des Meeresspiegels. Es gibt auch Gefahren, die durch den direkten Eingriff des Menschen in den Kreislauf des Wassers drohen:

Schon zwischen 1970 und 1990 sei viel Grundwasser abgepumpt worden, sagen die Wissenschaftler. Gleichzeitig seien damals aber auch viele Dämme gebaut worden, die enorme Wassermengen an Land hielten. Dadurch sei der Wasserhaushalt ausgeglichen worden. Seit den neunziger Jahren werde aber immer mehr Grundwasser aus dem Boden gepumpt und zur Bewässerung verwendet. Dadurch verdunstet mehr Wasser als normal in die Luft und fließt zum Teil als Regen über Flüsse und Kanäle ins Meer ab, statt zurück in den Boden zu sickern. Letztlich werde dem Meer damit mehr Wasser zugeführt, als auf dem Lande zurückbleibe.

Das vermehrte Abpumpen von Grundwasser hat bereits einen Anstieg des Meeresspiegels von gut einem halben Millimeter jährlich zur Folge gehabt. Wenn sich die Dinge so weiterentwickeln wie vorhergesagt, wird der Meeresspiegel allein wegen des abgepumpten Grundwassers bis 2050 um weitere drei Zentimeter steigen. Die Voraussagen der Wissenschaftler beruhen auf Berechnungen und Simulationen, in denen sie Daten zum abgepumpten Grundwasser und Zahlen zur Entwicklung des Wasserverbrauchs sowie Messungen von Satelliten zur Höhe des Grundwasserspiegels weltweit verwendet haben.

Nach Meinung der Forscher wird das abgepumpte Grundwasser in den kommenden Jahren ähnlich wichtig werden wie die weltweit schmelzenden Gletscher oder das Eis in Grönland und das Inlandeis der Antarktis.

Schritt 4: Bestimmen Sie die richtige Aussage in den Aufgaben 18–23.

- Jede Aufgabe genau mit der zugeordneten Textstelle vergleichen.
- Wenn Sie ganz sicher sind, sofort ein Kreuz machen.
- Nicht zu viel Zeit auf jede Aufgabe verwenden.
- Wenn Sie unsicher sind, ein Fragezeichen am Rand machen oder raten.

Schritt 5: Bestimmen Sie die richtige Aussage oder Überschrift in Aufgabe 24.

- Wichtige Wörter in der Aufgabe unterstreichen.
- Folgende Ergänzung einfügen: In dem Text geht es NUR / VOR ALLEM um … / darum, dass …
- In der letzten Aufgabe geht es immer um den Text als Ganzes, nicht um einen Abschnitt.

Schritt 6: Kontrollieren Sie Ihre Lösungen.

- Vergleichen Sie noch einmal Textstellen und Aufgaben.
- Haben Sie bei jeder Aufgabe ein Kreuz gemacht?
- Wenn Sie keine Lösung wissen, raten Sie einfach.

Hörverstehen: Powertraining

Im Powertraining bearbeiten Sie einen ganzen Übungstest. Damit Sie sich daran erinnern, was Sie im Basistraining gelernt haben, haben wir die Schritte und Memos noch einmal für Sie an den passenden Stellen abgedruckt.

Das *Hörverstehen* wird über die CD gesteuert. Sie können die CD aber jederzeit unterbrechen, wenn Sie die Erklärungen zu den Schritten im Basistraining noch einmal nachlesen möchten.

Hörverstehen Teil 1

Schritt 1: Hören und lesen Sie die Einleitung und markieren Sie die wichtigen Informationen.

Interview mit Sebastian Thrun

Sebastian Thrun war bis 2011 Professor für Künstliche Intelligenz an der Universität Stanford. Im Interview erklärt er, warum er sich von der traditionellen Universität abwendet und nur noch über eine Web-Plattform lehren will.

Sie hören gleich das Interview. Lesen Sie jetzt die Aufgaben (1–8). Sie haben dafür zwei Minuten Zeit.

Schritt 2: Markieren Sie die wichtigen Informationen in den Aufgaben.

- Schlüsselwörter unterstreichen, andere wichtige Wörter einkreisen.
- Thema der Aufgabe erkennen und möglichst Stichwörter notieren.

1 Die Interviewerin erklärt, dass Sebastian Thrun

A ☐ Professor an einer amerikanischen Universität ist.

B ☐ mit seinen Kollegen eine Online-Universität gründen wird.

C ☐ die Ausbildung für Akademiker verändern möchte.

2 Nach Meinung der Interviewerin hat Professor Thrun

A ☐ seine Einstellung zum Bildungssystem geändert.

B ☐ das Bildungssystem an den Universitäten verbessert.

C ☐ die Ausbildung für Eliten stark verändert.

3 Das Internet-Projekt von Professor Thrun

A ☐ wurde von den Studenten sehr positiv eingeschätzt.

B ☐ konnten nur Studenten seiner Universität belegen.

C ☐ haben ungefähr 23 000 Studenten gehört.

4 Es geht Sebastian Thrun darum,

A ☐ die heute bestehenden Universitäten zu verändern.

B ☐ die Arbeit mit den Doktoranden zu verbessern.

C ☐ sein Wissen an möglichst viele Menschen weiterzugeben.

5 Sebastian Thrun findet, dass die meisten Studenten

A ☐ Probleme nur mit Schwierigkeiten selbstständig lösen können.

B ☐ von ihrem Fachgebiet auch nach Jahren nicht viel verstehen.

C ☐ normalen Vorlesungen nicht ohne Probleme folgen können.

6 Nach Meinung von Sebastian Thrun ist

A ☐ die virtuelle Kommunikation für Doktoranden besonders wichtig.

B ☐ das virtuelle Lernen nicht für alle Bereiche geeignet.

C ☐ die persönliche Begegnung kein Ersatz für virtuelles Lernen.

7 Bei dem Projekt von Sebastian Thrun

A ☐ geht es um die Nutzung von bekannten Suchmaschinen.

B ☐ lernen die Studenten auch ganz praktische Dinge.

C ☐ entwickeln die Studenten besonders sichere Autos.

8 Sebastian Thrun möchte mit seiner Initiative erreichen, dass

A ☐ alle Studenten einen Zugang zum Internet bekommen.

B ☐ die Studiengebühren weltweit abgeschafft werden.

C ☐ niemand mehr vom Studium ausgeschlossen wird.

1 20 **Schritt 3: Hören Sie das Interview und erkennen Sie die richtigen Aussagen.**

- Vor jedem neuen Interviewteil noch einmal den Satzanfang lesen und Thema merken.
- Aufgaben und Abschnitte im Interview sind immer in derselben Reihenfolge.
- Auch bei Zweifeln immer ein Kreuz machen. Sie haben nur eine Chance.
- Die Aussagen im Interview als Ganzes verstehen.

Schritt 4: Kontrollieren Sie Ihre Lösungen.

- Habe ich überall ein Kreuz (und nicht mehr) gemacht?

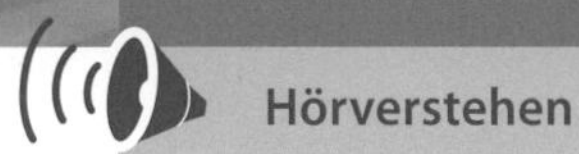

Hörverstehen Teil 2

Schritt 1: Hören und lesen Sie die Einleitung zu Teil 2 A.

- Wenn möglich, erkennen, worum es bei diesem Thema gehen könnte.

Teil 2: Ferntourismus

Teil 2 A

Sie hören gleich Aussagen von vier Personen zum Thema Ferntourismus. Entscheiden Sie beim Hören, welche Aussage (A, B oder C) zu welcher Person (Aufgaben 9–12) passt.

Schritt 2: Markieren Sie die unterschiedlichen Meinungen.

- Ihre eigene Meinung zum Thema spielt keine Rolle.
- Kurz über mögliche Gründe für die Meinungen der Personen nachdenken.

Welche Meinung zum Thema „Ferntourismus" habe diese Leute?

A Die Person ist grundsätzlich dagegen.
B Die Person betont die Vorteile.
C Die Person zieht eine andere Art des Reisens vor.

Schritt 3: Hören Sie die Texte und lösen Sie die Aufgaben.

- Nach dem Hören jedes Textes sofort ein Kreuz machen.
- Auch wenn Sie nicht sicher sind, auf alle Fälle ein Kreuz machen.

Aufgabe		A	B	C
		Die Person ist grundsätzlich dagegen.	Die Person betont die Vorteile.	Die Person zieht eine andere Art des Reisens vor.
9	Person 1			
10	Person 2			
11	Person 3			
12	Person 4			

Schritt 4: Hören und lesen Sie die Einleitung zu Teil 2 B.

Teil 2 B

Sie hören dieselben Meinungen der vier Personen gleich ein zweites Mal. Entscheiden Sie beim Hören, welche der Aussagen A–F zu welcher Person passt (Aufgaben 13–16). Zwei Aussagen bleiben übrig.

Lesen Sie zunächst die Aussagen A–F. Sie haben dazu eine Minute Zeit.

Schritt 5: Lesen Sie die Aussagen (A–F) und markieren Sie wichtige Informationen.

- Auf Informationen achten, die auf die Meinung der Personen hinweisen.

A	Fernreisen sind die beste Möglichkeit, andere Völker und Kulturen kennenzulernen.
B	Durch Reisen kann man vergleichen und eigene Überzeugungen infrage stellen.
C	Ferntourismus ist nur etwas für Leute, die sehr viel Geld haben.
D	Wenn man sich nicht für das Land interessiert, hat Reisen keinen Sinn.
E	Die Menschen in den Zielländern profitieren nicht vom Ferntourismus.
F	Fernreisen sind mit Erlebnissen verbunden, die man zu Hause nicht haben kann.

Schritt 6: Hören Sie noch einmal die Aussagen der Sprecher und ordnen Sie die Sätze A–F zu.

- Auf inhaltliche Übereinstimmungen achten.
- Verwendete Sätze durchstreichen, bei Unsicherheit Fragezeichen machen.

Aufgabe		**A**	**B**	**C**	**D**	**E**	**F**
13	Person 1						
14	Person 2						
15	Person 3						
16	Person 4						

Schritt 7: Kontrollieren Sie Ihre Lösungen.

- Habe ich alle Fragezeichen durch ein Kreuz ersetzt?
- Habe ich in Teil 2 A jeder Person eine Aussage zugeordnet?
- Habe ich in Teil 2 B jeder Person einen Satz zugeordnet?
- Habe ich keinen Satz doppelt zugeordnet?

Hörverstehen Teil 3

Schritt 1: Hören und lesen Sie die Einleitung.

Teil 3: Ohne Auto mobil bleiben

Sie hören gleich einen Vortrag von Stadtrat Hans-Friedrich Müller zum Thema, wie man auch ohne eigenes Auto mobil bleiben kann.

Lesen Sie jetzt die Aufgaben (17–24). Sie haben dafür zwei Minuten Zeit.

Schritt 2: Markieren Sie alle wichtigen Informationen in den Aufgaben 17–23 und erkennen Sie das Thema.

- Thema eventuell mit ein, zwei Stichwörtern neben der Aufgabe beschreiben.

17 Carsharing ist ein interessantes Angebot, weil es

A ☐ billiger ist, als ein eigenes Auto zu besitzen.

B ☐ schneller ist, als mit öffentlichen Verkehrsmitteln zu fahren.

C ☐ bequemer ist, als mit dem eigenen Auto zu fahren.

18 Beim klassischen Carsharing muss der Kunde

A ☐ nur eine monatliche Grundgebühr und Miete bezahlen.

B ☐ die Kosten für Benzin und Versicherung extra bezahlen.

C ☐ das Auto an bestimmten Plätzen abholen und zurückgeben.

19 Beim spontanen Carsharing

A ☐ kostet ein Kilometer mehr als beim privaten Auto.

B ☐ kann ein langer Stau teuer werden.

C ☐ wird nach Kilometern abgerechnet.

20 Beim privaten Autotausch

A ☐ kosten die Autos 15 Euro am Tag.

B ☐ ist das Auto automatisch versichert.

C ☐ bieten die Leute ihre Autos im Internet an.

21 In Deutschland

A ☐ nimmt die Zahl der Carsharer schnell zu.

B ☐ nutzen Millionen Autofahrer das Carsharing.

C ☐ ist Carsharing schon sehr weit verbreitet.

22 Bei vielen Anbietern von Carsharing kann man

A ☐ in anderen Städten auch die Autos von anderen Kunden benutzen.

B ☐ in ganz Deutschland Autos von verschiedenen Anbietern nutzen.

C ☐ in anderen Städten nur die Autos des eigenen Anbieters verwenden.

23 Carsharing ist vor allem dann sinnvoll, wenn man

A ☐ am Wochenende größere Strecken fahren möchte.

B ☐ am Stadtrand oder auf dem Land lebt.

C ☐ insgesamt nicht sehr viel mit dem Auto unterwegs ist.

1 | 26 **Schritt 3: Lösen Sie die Aufgaben beim ersten Hören.**

- Schon beim ersten Hören für eine Lösung entscheiden.
- Spätestens dann eine Lösung ankreuzen, wenn ein neues Thema beginnt.

Schritt 4: Bestimmen Sie die richtige Aussage in Aufgabe 24.

24 In diesem Text geht es hauptsächlich darum,

A ☐ wie wichtig Carsharing in Deutschland ist.

B ☐ warum sich Carsharing positiv auf die Umwelt auswirkt.

C ☐ welche Art von Carsharing für den Kunden sinnvoll ist.

1 | 27 **Schritt 5: Überprüfen Sie Ihre Lösungen beim zweiten Hören.**

- Stimmt meine Lösung mit dem Thema in diesem Abschnitt überein?
- Habe ich nur eine Lösung angekreuzt?
- Habe ich bei jeder Aufgabe eine Lösung angekreuzt?

Schriftliche Kommunikation: Powertraining

Im Powertraining lernen Sie an dem Beispielaufsatz eines Schülers (Carlos), welche Fehler auftreten können und wie man sie vermeiden kann. Sie analysieren die Fehler und schreiben den Aufsatz Stück für Stück neu. Wenn Sie sich nicht an alles sofort erinnern, was Sie im Basistraining gelernt haben, können Sie jeweils zu der entsprechenden Stelle zurückblättern und noch einmal nachlesen.

Übung 1

Lesen Sie die Aufgabe und klären Sie unbekannte Wörter.

Vegetarier aus Solidarität

Schreiben Sie einen **zusammenhängenden Text** zum Thema „Vegetarier aus Solidarität". Bearbeiten Sie in Ihrem Text die folgenden drei Punkte:

- Arbeiten Sie wichtige Aussagen aus dem Text heraus.
- Werten Sie die Grafik anhand von wichtigen Daten aus.
- Nehmen Sie in Form einer ausgearbeiteten Argumentation ausführlich zum Thema „Vegetarier aus Solidarität" Stellung.

Sie haben insgesamt **120 Minuten** Zeit.

Vegetarier aus Solidarität

Seit dem Zweiten Weltkrieg essen die Menschen in den Industrienationen immer mehr Fleisch. Während in Deutschland schon seit einiger Zeit der Konsum etwas zurückgegangen ist, steigt er in anderen Weltregionen stark an und wird sich bis 2050 weiter beschleunigen. Das hat schwerwiegende Auswirkungen auf die Nahrungsgrundlage in den sogenannten Entwicklungsländern.

Da mittlerweile die Hälfte der Weltgetreideproduktion zur Erzeugung von Fleisch verwendet wird, steigen die Preise für Getreide und für die ärmere Bevölkerung bleibt nicht genug bezahlbare Nahrung übrig. Internationale Spekulanten treiben durch Investitionen und Transaktionen die Nahrungsmittelpreise zusätzlich in die Höhe.

Auch unter ökologischen Gesichtspunkten erscheint eine vegetarische Ernährungsweise sinnvoll. So trägt z. B. die moderne Viehwirtschaft erheblich zur Zerstörung der Regenwälder bei, da große Flächen als Weideland benötigt werden. Gleichzeitig steigt der Bedarf an Futtermitteln für die Rinder und weitere Flächen müssen für zusätzliches Ackerland gerodet werden.

Durch den massiven Einsatz von Pestiziden werden Böden und Gewässer vergiftet. Sie gefährden die Umwelt und damit auch die Gesundheit der Bevölkerung. Außerdem entstehen bei der Verdauung der Rinder große Mengen an Methan, das als Treibhausgas die Klimaerwärmung beschleunigt.

Wenn die Bevölkerung in den Industrienationen weniger Fleisch konsumieren würde, würde dies zu einer Verringerung der Nahrungsmittelpreise führen und so die Ernährung von Millionen hungernden Menschen weltweit sicherstellen. Außerdem könnte diese Umstellung einen wesentlichen Beitrag zur Erhaltung der Natur und Gesundheit der Menschen leisten.

Quelle: Kölner Morgenpost, 5.1.2013, Ingrid Kölle

Grafik 1: Fleischkonsum in Deutschland. Daten aus: Statista GmbH, 2010

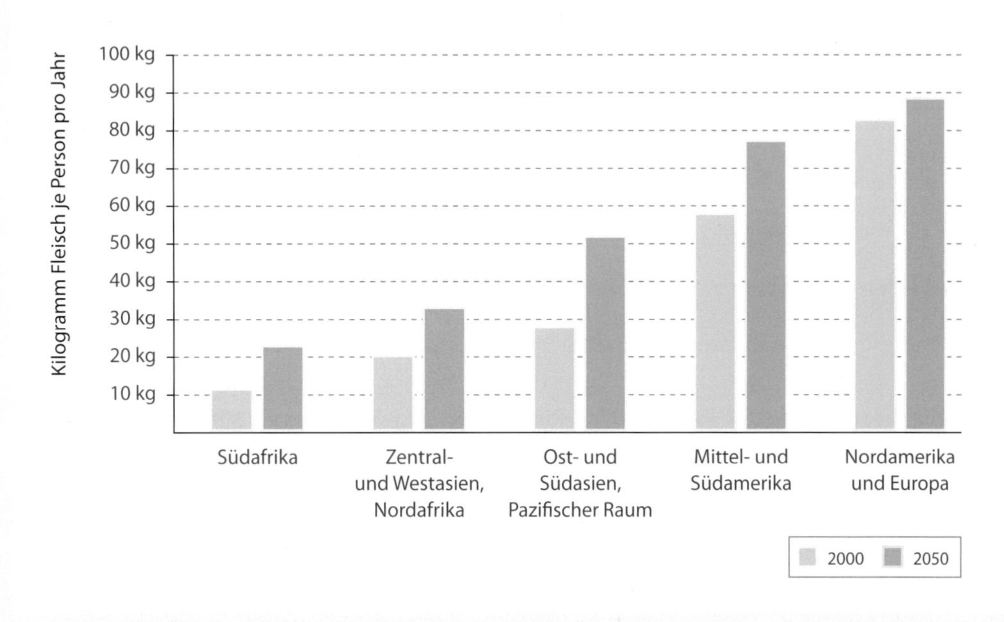

Grafik 2: Fleischkonsum weltweit. Daten aus: Berlin-Institut für Bevölkerung und Entwicklung, 2010

Übung 2

a **Lesen Sie die Bearbeitung der Aufgabe von Carlos. Kommentieren Sie seine Anmerkungen und Unterstreichungen.**

b **Ergänzen Sie eigene Anmerkungen und Unterstreichungen.**

Seit 1985

Rückgang: ca. 6 %

Vegetarier aus Solidarität

Seit dem Zweiten Weltkrieg essen die Menschen in den Industrienationen immer mehr Fleisch. Während in Deutschland schon seit einiger Zeit der Konsum etwas zurückgegangen ist, steigt er in anderen Weltregionen stark an und wird sich bis 2050 weiter beschleunigen. Das hat schwerwiegende Auswirkungen auf die Nahrungsgrundlage in den sogenannten Entwicklungsländern.

5 Da mittlerweile die Hälfte der Weltgetreideproduktion zur Erzeugung von Fleisch verwendet wird, ? steigen die Preise für Getreide und für die ärmere Bevölkerung bleibt nicht genug bezahlbare Nahrung übrig. Internationale Spekulanten treiben durch Investitionen und Transaktionen die Nahrungsmittelpreise zusätzlich in die Höhe.

Umwelt-schutz

Auch unter ökologischen Gesichtspunkten erscheint eine vegetarische Ernährungsweise sinnvoll. 10 So trägt z. B. die moderne Viehwirtschaft erheblich zur Zerstörung der Regenwälder bei, da große Flächen als Weideland benötigt werden. Gleichzeitig steigt der Bedarf an Futtermitteln für die Rinder und weitere Flächen müssen für zusätzliches Ackerland gerodet werden.

Durch den massiven Einsatz von Pestiziden werden Böden und Gewässer vergiftet. Sie gefährden die Umwelt und damit auch die Gesundheit der Bevölkerung. Außerdem entstehen bei der 15 Verdauung der Rinder große Mengen an Methan, das als Treibhausgas die Klimaerwärmung beschleunigt.

Wenn die Bevölkerung in den Industrienationen weniger Fleisch konsumieren würde, würde dies zu einer Verringerung der Nahrungsmittelpreise führen und so die Ernährung von Millionen hungernden Menschen weltweit sicherstellen. Außerdem könnte diese Umstellung einen wesent- 20 lichen Beitrag zur Erhaltung der Natur und Gesundheit der Menschen leisten.

Quelle: Kölner Morgenpost, 5.1.2013, Ingrid Kölle

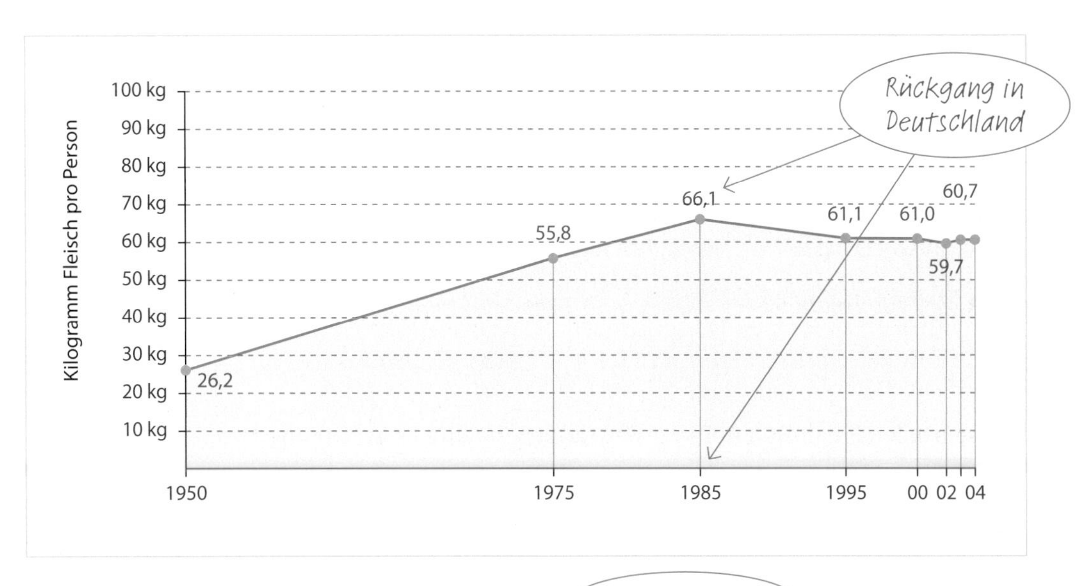

Grafik 1: Fleischkonsum in Deutschland. Daten aus: Statista GmbH, 2010

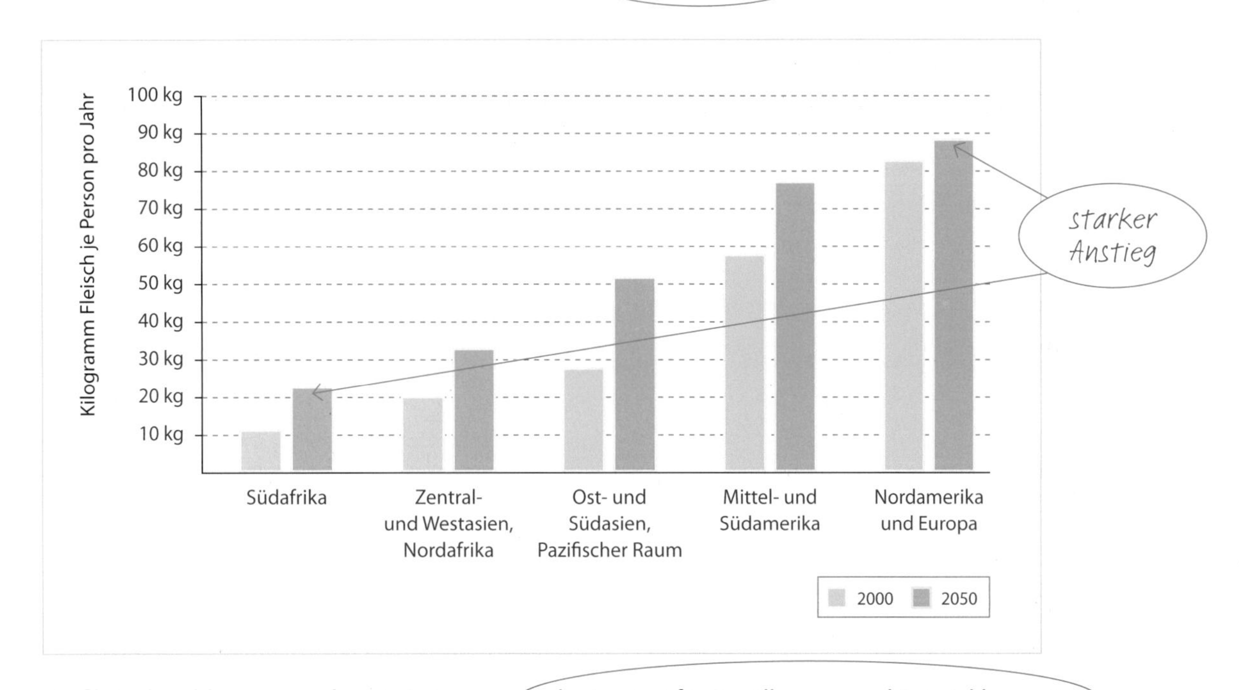

Grafik 2: Fleischkonsum weltweit. Daten aus: Berlin-Institut für Bevölkerung und Entwicklung, 2010

Übung 3

Lesen Sie den Text „Vegetarier aus Solidarität" noch einmal und beschreiben Sie in Stichworten die sachlichen Zusammenhänge in folgenden Themenbereichen:

- Wirtschaftliche Folgen des steigenden Fleischkonsums
- Folgen für Umwelt und Gesundheit
- Wirtschaftliche Probleme und Umweltprobleme bis 2050

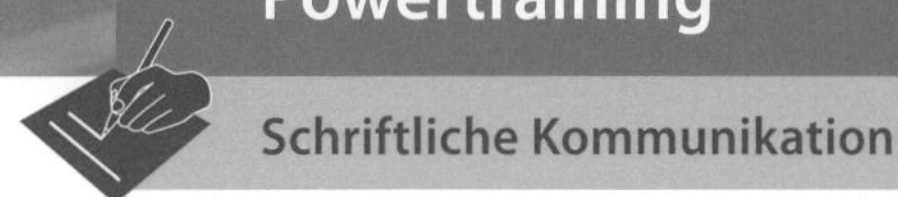

Übung 4

a **Lesen Sie die Einleitung und den Anfang des folgenden Teils. Markieren und/oder notieren Sie, was inhaltlich und formal nicht (ganz) richtig ist.**

Vegetarier aus Solidarität 1

Das ist ein interessantes Thema und ich möchte ich mich jetzt genauer 2
damit beschäftigen. In der Grafik wird zum Beispiel gezeigt, dass der 3
Fleischkonsum in Deutschland seit Kurzem etwas geringer ist ... 4

b **Wie beurteilen Sie diesen Anfang? Begründen Sie Ihre Einschätzung.**

c **Formulieren Sie eine neue Einleitung. Versuchen Sie, das Interesse der Leser zu wecken, und ergänzen Sie einen Hinweis auf Ihre Stellungnahme.**

Übung 5

a **Lesen Sie den folgenden Text von Carlos. Kreuzen Sie die zutreffenden Bemerkungen unter dem Text an.**

In der Grafik wird gezeigt, dass der Fleischkonsum in Deutschland seit
Kurzem etwas geringer ist. In anderen Ländern steigt er stark an.
Das wirkt sich sehr auf die Entwicklungsländer aus. Da wird die Hälfte des
Getreides hergestellt, das die Menschen zum Essen brauchen. Deswegen
steigen die Preise für Korn auf der ganzen Welt. Und die armen Leute können 5
das nicht mehr bezahlen. Natürlich gibt es auch Leute, die richtig Geld ver-
dienen wollen mit dem Getreide. Die treiben die Preise noch weiter hoch.
Im Text steht auch, dass das schlecht für die Umwelt ist. Weil die Menschen
so viel Fleisch essen, brauchen sie auch mehr Tiere. Die Tiere brauchen immer
mehr Futter und das gibt es nur auf den Weiden. Deswegen werden die 10
Weiden immer größer und die Tiere produzieren auch Methan. Das ist ein
Treibhausgas. Und das schadet der Umwelt. Das ist wie mit den Urwäldern, die
abgebrannt werden. Da entsteht auch Gas. Das ist CO_2*, das die Atmosphäre*
auch warm macht. Also, weil die Rinder so viel fressen, müssen immer mehr
Wälder abgeschlagen und abgebrannt werden. Und das schadet der Umwelt, 15
denn die Wälder werden immer kleiner. Das zeigt auch die Grafik ganz
deutlich. Zum Beispiel essen die Menschen in Süd- und Mittelamerika immer
mehr Fleisch. Früher war das nicht so.

In diesem Teil des Aufsatzes

A ☐ werden Text und Grafik in getrennten Texten behandelt,

B ☐ fehlen wichtige Inhalte und Informationen aus dem Text und den Grafiken,

C ☐ sind Informationen enthalten, die im Text nicht vorkommen,

D ☐ werden bestimmte Sachverhalte falsch dargestellt,

E ☐ fehlen die Quellenangaben.

b Lesen Sie den Text von Carlos noch einmal. Markieren Sie Fehler und Ungenauigkeiten bei der Wiedergabe der Informationen aus Text und Grafik.

c Schreiben Sie den Text von Carlos neu. Berücksichtigen Sie dabei Ihre Beobachtungen unter a und b und die Vorschläge im Basistraining (Schritt 8 bis 12). Stellen Sie Inhalte von Text und Grafik bitte in getrennten Textabschnitten dar.

Übung 6

Lesen Sie die Stellungnahme von Carlos. Kreuzen Sie die zutreffenden Beobachtungen unter dem Text an.

Also ich bin der Meinung, dass es nicht sinnvoll ist, aus Solidarität zum Vegetarier zu werden. Die Preise steigen ja, weil die Unternehmer mit dem Getreide viel Geld verdienen wollen. Das sollte man verbieten. Die Banken und die Unternehmer dürfen mit Nahrungsmitteln einfach nicht spekulieren.
Ein anderer Grund, der dagegenspricht, ist doch auch klar. Ich esse zwar jeden Tag etwas Fleisch, aber das ist ganz wenig. Wenn ich jetzt zum Vegetarier werde, hilft das den armen Leuten auch nicht. Das hat keinen Einfluss auf den Getreidepreis in der Welt. Davon werden die armen Leute in den Entwicklungsländern nicht satt. Das muss alles ganz anders organisiert werden. Ich glaube, das müssen die Politiker regeln. Ich kann da nichts machen.
Außerdem bin ich gegen Vegetarier, weil die auch nicht gesünder leben als wir. Ich habe mal gelesen, dass die Leute, die vegetarisch leben, auch nicht länger leben als wir. Und ich denke, das Fleisch ist auch eine natürliche Nahrung. Die Menschen brauchen auch Fleisch. Da sind Sachen drin, die gibt es im Salat nicht. Und die brauchen wir auch, sonst werden wir krank. Deswegen werde ich kein Vegetarier.

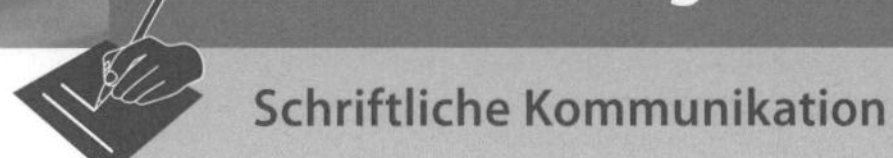

Auf der anderen Seite gibt es auch Vorteile durch vegetarische Ernährung. Wenn wirklich alle Menschen weniger Fleisch essen, hilft das der Umwelt. Das finde ich wichtig.
Deswegen bin ich auch der Meinung, dass die Menschen kein Fleisch mehr essen sollten.

Im argumentativen Teil der Stellungnahme

A ☐ wird die These klar formuliert,

B ☐ werden alle Argumente formal richtig ausgestaltet,

C ☐ werden die Stellenwerte der Inhalte meistens benannt,

D ☐ sind die ausgestalteten Argumente nach dem Prinzip der Steigerung geordnet,

E ☐ enthalten die ausgestalteten Argumente überzeugende Belege.

Der Schlussteil

A ☐ enthält eine gut begründete Meinung,

B ☐ bringt einen wichtigen Punkt, der bei den Vor- oder Nachteilen nicht vorkommt,

C ☐ entwickelt sich aus der Erörterung,

D ☐ ist kreativ und leicht ironisch formuliert,

E ☐ widerspricht Aussagen im argumentativen Teil der Stellungnahme.

Nachdem Sie die Stellungnahme von Carlos ausführlich analysiert haben, können Sie jetzt Ihre eigene Stellungnahme verfassen.

Übung 7

a Erstellen Sie eine eigene Sammlung von Gründen, die für oder gegen eine vegetarische Ernährung aus Solidarität sprechen. Sie können auch Gründe von Carlos übernehmen und/ oder Gründe für eine Alternative sammeln.

b Entscheiden Sie sich für eine eigene These zum Thema „Vegetarische Ernährung" (pro, contra oder Alternative). Erstellen Sie dazu eine Gliederung. Verwenden Sie die Gründe aus Ihrer Stoffsammlung (Übung 7a).

c Formulieren Sie Ihre eigene Stellungnahme (argumentativen Teil und Schlussteil).

Übung 8

Kontrollieren Sie Ihren gesamten Aufsatz. Verwenden Sie dabei die Checkliste aus dem Basistraining auf Seite 92.

Mündliche Kommunikation: Powertraining

Im Powertraining hören Sie ein Beispiel für die mündliche Prüfung. Sie analysieren und bewerten den Kurzvortrag in Teil 1 sowie die Präsentation in Teil 2. Außerdem hören und analysieren Sie die Gespräche über die beiden Vorträge und verbessern die Antworten, wo das möglich und sinnvoll ist. Die verbesserten Antworten können Sie aufnehmen, noch einmal anhören und gegebenenfalls noch einmal nachbessern. Dazu benötigen Sie ein Aufnahmegerät (z. B. ein Smartphone), das Sie jetzt bereitlegen sollten.

Teil 1: Der Kurzvortrag

Übung 1

2 1 **Hören Sie den Anfang der Prüfung. Wie beurteilen Sie das Verhalten von Fernando zu Beginn der Prüfung?**

A ☐ Er reagiert zurückhaltend.

B ☐ Er redet zu viel.

C ☐ Er grüßt zum richtigen Zeitpunkt.

D ☐ Er macht einen guten Eindruck.

E ☐ Er wirkt unsicher.

F ☐ Er ist höflich.

Nach der kurzen Begrüßung und der Positionierung am Tageslichtprojektor beginnt Fernando seinen Vortrag.

Übung 2

Lesen Sie das Aufgabenblatt. Unterstreichen Sie das Thema.

Aussehen und Schönheit

Diskutieren Sie das Thema „Aussehen und Schönheit" in unserer Gesellschaft.
Vertiefen Sie das Thema anhand von mindestens drei der folgenden Stichwörter.

Schönheitsideal	Beruf	Freundeskreis
Ästhetik	Aussehen und Schönheit	Nachteile
Gesundheit	Wirtschaft	…

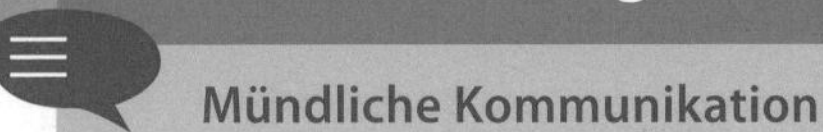

Übung 3

a Hören Sie die Einleitung des Kurzreferates. Was macht Fernando? Kreuzen Sie an.

A ☐ Er bewertet das Thema.

B ☐ Er äußert sich zur Bedeutung des Themas.

C ☐ Er sagt seine Meinung.

D ☐ Er begründet seine Meinung.

E ☐ Er nennt das Thema.

F ☐ Er spricht fließend.

G ☐ Er weckt das Interesse der Prüfer.

b Wie finden Sie die Einleitung? Begründen Sie Ihre Bewertung.

Nachdem Fernando mit einer kurzen, aber sprachlich und inhaltlich geschickten Einleitung begonnen hat, kommt er nun zum ersten Aspekt seines Kurzvortrags über Aussehen und Schönheit.

Übung 4

Hören Sie, wie Fernando weitermacht. Mit welchem Aspekt fährt er fort? Notieren Sie.

Übung 5

a Hören Sie jetzt den vollständigen Abschnitt zu Aussehen und Schönheit im Beruf. Machen Sie dazu Notizen.

b Formulieren Sie Fernandos Gedanken schriftlich in eigenen Worten.

c Nehmen Sie Ihre eigene Antwort auf. Lesen Sie Ihren Text nicht ab, sondern verwenden Sie Ihre Notizen aus Übung 5 a.

d Hören Sie Ihre Aufnahme an. Sind Sie zufrieden? Wenn nicht, wiederholen Sie die Aufnahme.

Übung 6

a Hören Sie den nächsten Abschnitt. Fernando spricht einen Aspekt an, der auf dem Aufgabenblatt nicht vorkommt. Welchen? Notieren Sie, was Fernando zu diesem Aspekt sagt.

b Halten Sie diesen zusätzlichen Aspekt für sinnvoll? Erklären Sie.

c Formulieren Sie Fernandos Gedanken zu diesem Aspekt schriftlich in eigenen Worten.

d Nehmen Sie Ihre eigene Antwort auf. Lesen Sie Ihren Text nicht ab, sondern verwenden Sie Ihre Notizen aus Übung 6 a.

e **Hören Sie Ihre Aufnahme an. Sind Sie zufrieden? Wenn nicht, wiederholen Sie die Aufnahme.**

Bevor Sie den nächsten Teil des Referates hören, werfen Sie einen Blick auf Fernandos Notizen in Übung 7.

Übung 7

a **Lesen Sie die Notizen zu den beiden nächsten Aspekten. Überlegen Sie, was Fernando dazu wahrscheinlich sagen wird.**

Wirtschaft
- *Medien / Illustrierte / Frauenzeitschriften*
- *Modeindustrie / Kosmetika / Wellnesshotels*
- *Arbeitsplätze – wichtig für Wirtschaft*

Schönheitsideal
- *Veränderungen in der Geschichte / Unterschiede von Kontinent zu Kontinent*
- *Schönheit nicht nur äußerlich: schöner Mensch – Verstand, gleiche Interessen (Musik, Freizeit etc.)*

b **Hören Sie, was Fernando tatsächlich sagt. Welche Punkte spricht er nicht an?**

c **Formulieren Sie schriftlich einen eigenen Text zu den beiden Aspekten. Ergänzen Sie auch eigene Gedanken.**

d **Nehmen Sie Ihre eigene Antwort auf. Lesen Sie Ihren Text nicht ab, sondern verwenden Sie nur die Notizen und sprechen Sie frei.**

e **Hören Sie Ihre Aufnahme an. Sind Sie zufrieden? Wenn nicht, wiederholen Sie die Aufnahme.**

Fernando spricht jetzt ungefähr vier Minuten und ist ganz zufrieden mit seinem Kurzreferat. Trotzdem unterbricht ihn der Prüfer.

Übung 8

Nach ca. vier Minuten wird Fernando vom Prüfer unterbrochen. Warum? Kreuzen Sie an oder formulieren Sie in Stichworten Ihre Meinung dazu.

A ☐ Fernando hat zu viele Fehler gemacht, der Prüfer ist deswegen verärgert.

B ☐ Die Sprechzeit für den Kurzvortrag ist nach vier Minuten vorbei.

C ☐ Fernando wirkt unsicher, der Prüfer will ihm helfen.

D ☐ Der Prüfer möchte unbedingt etwas zu einem Punkt hören, der ihm besonders wichtig ist.

Lassen Sie sich durch Unterbrechungen nicht nervös machen. Konzentrieren Sie sich auf die Fragen des Prüfers / der Prüferin und antworten Sie langsam.

Übung 9

Lesen Sie Fernandos Notizen. Sind Sie mit dem Umfang des geplanten Kurzvortrags und der Reihenfolge der Punkte einverstanden? Warum (nicht)?

Die Bedeutung von Aussehen und Schönheit in unserer Gesellschaft

Einleitung
- *Thema nennen*
- *schönes Thema – wichtiges Thema: nicht nur der Einzelne – alle / die Gesellschaft betroffen*

Bedeutung im Beruf
- *Aussehen/Schönheit: wichtig im Beruf: größere Chancen bei Bewerbungsgesprächen*
- *besonders wichtig: Fernsehen / Film / Mode*
- *Problem: Aussehen / Schönheit wichtiger als Können*

Werbung
- *alle schön / gut aussehend / glücklich / erfolgreich*
- *Werbung mit Realität verwechseln*
- *Früher anders!*

Wirtschaft
- *Medien / Illustrierte / Frauenzeitschriften*
- *Modeindustrie / Kosmetika / Wellnesshotels*
- *Arbeitsplätze – wichtig für Wirtschaft*

Gesundheit
- *schön = gesund: stimmt nicht*
- *Schönheitsoperationen riskant / immer jüngere Leute lassen sich operieren / auch immer mehr Männer*

Schönheitsideal
- *Veränderungen in der Geschichte / Unterschiede von Kontinent zu Kontinent*
- *Schönheit nicht nur äußerlich: schöner Mensch – Verstand, gleiche Interessen (Musik, Freizeit etc.)*

Freundeskreis
- *mehr Freunde / Einladungen / größere Anerkennung*
- *aber: echte Freunde? Aussehen nicht wichtig*

Übung 10

a **Erstellen Sie eine eigene Folie zum Thema. Kürzen Sie die Notizen so, dass der Kurzvortrag nicht länger als fünf Minuten dauert.**

b **Halten Sie Ihren eigenen Vortrag und nehmen Sie ihn auf. Stoppen Sie die Zeit.**

c **Hören Sie sich Ihren Vortrag an. – Sind Sie zufrieden? Wenn nicht, wiederholen Sie die Aufnahme.**

Wie der Ablauf dieses Prüfungsteils zeigt, ist es wichtig, den Umfang des Kurzvortrags inhaltlich und zeitlich gut zu planen. – Nach dem Vortrag geht es weiter mit dem Gespräch über das Thema.

Übung 11

Hören Sie den Beginn des Gesprächs über den Kurzvortrag. Welchen Aspekt / Welche Aspekte des Themas spricht der Prüfer an? Warum?

In diesem Teil der Prüfung macht der Kandidat mehr sprachliche Fehler, weil er auf die Fragen nicht vorbereitet ist und spontan antworten muss. Außerdem hat ihn die Unterbrechung natürlich etwas verunsichert. Um hier besser zu reagieren, sollten Sie bei der Vorbereitung des Kurzreferats über alle sieben Aspekte des Themas kurz nachdenken und sich Notizen machen (vgl. Seite 95), auch wenn Sie dann nur drei bis höchstens vier Aspekte genauer ausarbeiten.

Übung 12

a **Hören Sie noch einmal den Beginn des Gesprächs. Machen Sie sich Notizen zum Inhalt der Antworten von Fernando.**

b **Ergänzen Sie eigene Stichworte zu den Antworten.**

c **Hören und lesen Sie noch einmal die erste Frage des Prüfers. Geben Sie dann selbst die Antwort und nehmen Sie Ihre Antwort auf.**

> Ja, vielen Dank, Fernando. Das war jetzt schon mal sehr interessant. Sie haben vorhin gesagt, dass sich das Schönheitsideal geändert hat. – Können Sie das etwas genauer erklären?

d **Hören Sie Ihre Antwort. Sind Sie zufrieden? Wenn nicht, wiederholen Sie die Aufnahme.**

Übung 13

a Hören und lesen Sie die nächste Frage des Prüfers. Welchen Aspekt spricht der Prüfer an? Warum? Notieren Sie.

> Sie haben gesagt, dass Schönheit nicht nur etwas Äußerliches ist. Aber Schönheit hat doch viel mit Ästhetik zu tun. Anders gefragt: Muss eine schöne Frau – um mal bei der Schönheit von Frauen zu bleiben – unbedingt intelligent sein und einen tollen Charakter haben? Reicht es nicht, einfach nur in einem ästhetischen Sinne schön zu sein?

b Wie würden Sie die Frage beantworten? Machen Sie Notizen.

c Lesen Sie noch einmal die Frage des Prüfers und nehmen Sie dann Ihre Antwort auf.

2 11 **d Hören und lesen Sie Fernandos Antwort. Welche Antwort finden Sie besser. Warum?**

> Na ja, natürlich gibt es viele Frauen, die sehr schön sind und vielleicht nicht so intelligent oder gebildet. Aber, zum Beispiel, es gibt es ja diese Miss-Wahlen: Miss Germany, Miss Venezuela usw. und Miss World, klar. Und die Frauen da, die müssen heute auch viele Bedingungen erfüllen, also nicht nur schön sein. Ich glaube, die müssen auch Fremdsprachen sprechen, sich in Musik auskennen und, ja, über Politik müssen sie auch informiert sein. Also, das habe ich neulich im Fernsehen gehört. Und ich finde, das zeigt, dass das Äußere alleine eben nicht ausreicht, um ein wirklich schöner Mensch zu sein.

e Wenn Sie wollen, können Sie Ihre Antwort noch einmal verbessern.

Übung 14

a Hören Sie den folgenden Wortwechsel zwischen dem Prüfer und dem Kandidaten.

b Ist die Rückfrage von Fernando berechtigt? Begründen Sie Ihre Antwort.

Übung 15

a Lesen Sie die letzte Frage des Prüfers. Wie würden Sie die Frage beantworten? Machen Sie Notizen.

> Also, müssen intelligente Männer auch gut aussehen?

2 13 **b Hören Sie die Frage des Prüfers und nehmen Sie Ihre Antwort auf.**

2 14 **c Hören und lesen Sie Fernandos Antwort. Welche Antwort finden Sie besser. Warum?**

> Ich glaube, bei Männern war das Äußere nie so wichtig. Aber es gibt immer mehr Männer, die auch gut aussehen wollen und auf Kleidung Wert legen und so. Das hab ich ja schon gesagt. Und mit ihrer Intelligenz hat das gar nichts zu tun. – Das ist natürlich ungerecht. Wenn ein Mann intelligent ist, fragt niemand nach seinem Aussehen. Bei Frauen schauen alle erst auf das Aussehen und …

d Wenn Sie wollen, können Sie Ihre Antwort noch einmal verbessern.

Zum Schluss will der Prüfer noch etwas Persönliches von Fernando hören.

Übung 16

2 15 **Hören Sie den letzten Teil des Gesprächs. Wie beurteilen Sie Fernandos Antworten? Begründen Sie.**

Die Antworten sind meiner Meinung nach:

A ☐ ehrlich

B ☐ geschickt

C ☐ unbeholfen

D ☐ unhöflich

E ☐ nachdenklich

F ☐ leicht ironisch

G ☐ zu persönlich

H ☐ nicht durchdacht

Nachdem der Prüfer das Gespräch beendet hat, geht es weiter mit Teil 2 und dem vorbereiteten Referat.

Teil 2: Die Präsentation

In diesem Teil des Trainings werden Sie gleich ein Referat hören, das die Schülerin Göknil in Istanbul gehalten hat. In diesem Referat geht es um „Megastädte". Im Anschluss an das Referat hören Sie das Gespräch mit dem Prüfer über das Referat.

Übung 1

Hören Sie den Anfang des Referates und notieren Sie den Titel.

___

Übung 2

Welche der vier Kriterien treffen auf dieses Thema zu? Begründen Sie Ihre jeweilige Entscheidung.

A ☐ Das Thema ist problemorientiert und lässt verschiedene Perspektiven zu.

B ☐ Das Thema hat einen Bezug zu Deutschland.

C ☐ Das Thema erlaubt einen interkulturellen Vergleich.

D ☐ Mit dem Thema lässt sich eine persönliche Botschaft verbinden.

Übung 3

a Hören Sie die Einleitung noch einmal und notieren Sie dabei alle Wörter, die mit dem Thema (Übung 1) zu tun haben.

b Wenn Sie nicht alles verstehen konnten, lesen Sie die Einleitung und unterstreichen Sie die Wörter.

> In meinem Referat werde ich über Megastädte, ihre Probleme, Herausforderungen und Chancen sprechen. Hier in Istanbul leben heute mehr als vierzehn Millionen Einwohner. In den 60er Jahren gab es hier nur zwei Millionen Einwohner. Weil ich in Istanbul lebe, habe ich mich in der Schule mit diesem Projekt über Urbanität beschäftigt. Darüber will ich jetzt berichten.

Diese Einleitung ist sprachlich nicht perfekt, aber die kleinen Ungeschicklichkeiten fallen nicht auf und sind normal in einem mündlichen Vortrag. Auf der anderen Seite hat die Schülerin einige Fachwörter aus dem Bereich „Stadt/Stadtentwicklung" verwendet. Das zeigt, dass sie mit dem Thema vertraut ist. Und das sollte auch in Ihrem Referat so sein.

Übung 4

Welche Informationen bekommt der Zuhörer in der Einleitung? Kreuzen Sie an.

In der Einleitung erfährt der Zuhörer

A ☐ wie das Thema lautet.

B ☐ worum es bei diesem Thema im Wesentlichen geht.

C ☐ warum die Schülerin das Thema gewählt hat.

D ☐ welche Ursachen die Entwicklung zu Megastädten hat.

E ☐ an welchem Projekt die Schülerin teilgenommen hat.

F ☐ welche Inhalte und Ziele das Projekt hatte.

G ☐ welche Botschaft die Schülerin mit ihrem Referat verbinden will.

Wie Sie sehen, enthält Göknils Einleitung außer dem Thema nur wenige Informationen, die für den Leser wichtig sind und sein Interesse wecken könnten. Man erfährt nicht genau, worüber sie sprechen will. Sie begründet nur ungenau, warum sie das Thema gewählt hat, und sagt gar nichts über die Inhalte und Ziele des Projekts in ihrer Schule.

Übung 5

Formulieren Sie die Einleitung neu. Ergänzen Sie die folgenden zusätzlichen Informationen.

Worum ging es in dem Projekt / geht es in dem Referat?

- die Probleme von Megastädten wie Istanbul und ihre Ursachen / Herausforderungen, die damit verbunden sind / Maßnahmen zur Verbesserung der Lebensqualität in solchen Städten

Was will ich zeigen/machen/untersuchen?

- die Probleme und ihre Ursachen
- mögliche Maßnahmen / Wirksamkeit der Maßnahmen
- Schwierigkeiten/Herausforderungen bei der Umsetzung und Finanzierung / unterschiedliche Interessen / kulturelle Hindernisse
- Parallelen zu anderen Megastädten / Parallelen und Unterschiede zu Städten in Deutschland

Jetzt ist die Einleitung sehr viel besser, aber es fehlen noch die Begründung für die Themenwahl und die „persönliche Botschaft".

Übung 6

Ergänzen Sie in Ihrer Einleitung (Übung 5) noch, warum Sie das Thema gewählt haben und was Ihre „Botschaft" ist.

Natürlich gibt es viele Möglichkeiten, die Wahl des Themas zu begründen und die Botschaft zu formulieren. Wichtig ist, dass Sie als Person mit einer eigenen Meinung und Einstellung zum Thema erkennbar werden. Sie wollen Ihre Zuhörer ja nicht nur mit Fakten, sondern auch mit Ihrer Botschaft überzeugen.

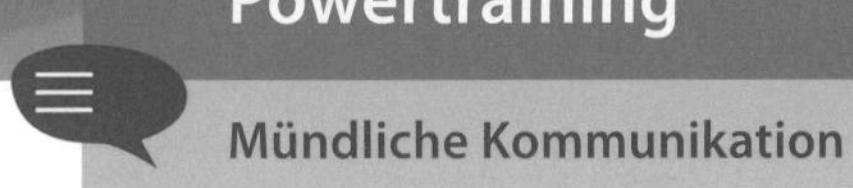

Übung 7

a Welche der folgenden Einleitungen für das Referat ist am besten? Kreuzen Sie an und begründen Sie Ihre Auswahl.

A ☐ Ich habe das Thema gewählt, weil ich mich schon immer für Stadtentwicklung interessiert habe und weil ich finde, dass wir noch viel zu wenig tun, um unsere Städte lebenswert zu machen. Deswegen finde ich es gut, dass es in unserer Stadt schon viele Maßnahmen gibt, die Architektur, den Verkehr und die Infrastruktur zu verbessern. Diese Aspekte haben wir auch in einem Unterrichtsprojekt besprochen. Das fand ich sehr interessant.

B ☐ Istanbul ist eine sehr schöne Stadt, aber bei uns gibt es auch viele Probleme. Das gilt für viele Megastädte in der Welt. Mit diesen Problemen haben wir uns in einem Unterrichtsprojekt mit dem Titel „Urbanität" im letzten Schuljahr befasst. Das hat Frau Urban geleitet. Und wir waren acht Schüler. Wir haben auch viele Exkursionen in Istanbul unternommen und uns angesehen, was die Stadt gegen die Verkehrsprobleme macht. Darüber möchte ich heute berichten.

C ☐ Ich habe das Thema gewählt, weil ich in Istanbul lebe und täglich mit den Problemen einer Megastadt mit über vierzehn Millionen Menschen konfrontiert werde. Deswegen habe ich mich im letzten Jahr auch an dem Unterrichtsprojekt „Urbanität" beteiligt. In diesem Projekt haben wir uns mit den Ursachen für die Probleme von Megastädten beschäftigt und Möglichkeiten diskutiert, was man dagegen tun könnte. Darüber möchte ich in meinem Referat berichten. Mir ist wichtig, dass Istanbul mit seiner über 2000 Jahre alten Geschichte trotz Verkehr, Überbevölkerung und Wohnungsproblemen eine lebenswerte Stadt bleibt.

D ☐ In Istanbul leben über 14 Millionen Menschen. Es ist die viertgrößte Stadt der Welt und hat viele Probleme. Zum Beispiel mit dem Verkehr, den vielen Menschen und dem Smog und anderen Sachen. Darüber haben wir ein Unterrichtsprojekt gemacht. Das hat mich sehr interessiert, denn ich lebe ja in Istanbul und möchte, dass das Leben hier lebenswert bleibt. Dazu möchte ich in meinem Referat einiges sagen.

b Welche Einleitung finden Sie am schlechtesten? Begründen Sie Ihre Entscheidung.

Wenn die Einleitung geschafft ist, geht es weiter mit dem Hauptteil des Referats.

Übung 8

2 18 **a Hören Sie, was die Kandidatin im ersten Teil ihres Referates über das Wachstum der Megastädte sagt. Kreuzen Sie an, was die Kandidatin damit inhaltlich leistet:**

A ☐ Sie beschreibt das Wachstum der Städte.

B ☐ Sie bringt Beispiele für Megastädte.

C ☐ Sie erklärt, warum die Städte wachsen.

D ☐ Sie stellt einen Bezug zu Deutschland her.

E ☐ Sie stellt einen interkulturellen Vergleich an.

F ☐ Sie bewertet die Entwicklung dieser Städte.

b Wenn Sie nicht alles verstehen, können Sie den Text auch mitlesen.

> Zuerst möchte ich über das Wachstum der Megastädte reden: Die Megastädte wachsen sehr schnell, so wie Istanbul. In anderen Städten ist das noch schlimmer. In dieser Grafik sehen Sie die zehn größten Städte der Welt und wie sie seit 1950 gewachsen sind. Mexiko City hat heute 19 Millionen Einwohner, 1950 waren es unter drei Millionen. Auch in Deutschland gibt es eine Region, die ist wie eine Megastadt: das Rhein-Ruhr-Gebiet. Dort leben auch 11 Millionen Einwohner. Die leben in vielen Städten, die sind aber alle zusammen wie eine riesige Stadt.

Im ersten Teil veranschaulicht die Kandidatin mit gut gewählten Beispielen und konkreten Zahlen, mit welcher Schnelligkeit die Megastädte wachsen. Dazu hat sie auch eine Folie mit einer Grafik vorbereitet.

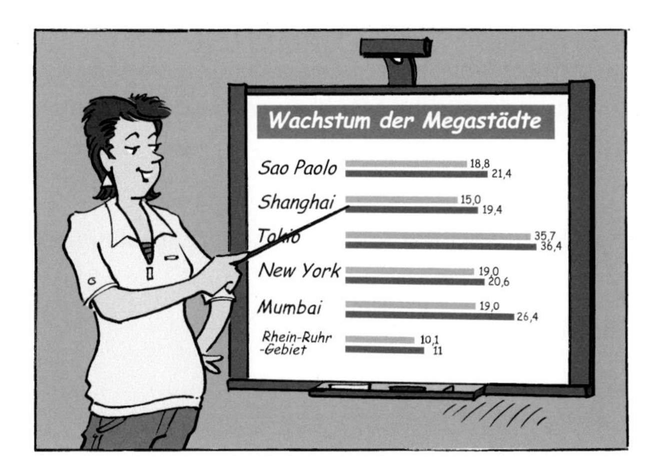

Die Grafik zeigt deutlich, dass diese Entwicklung ein globales Problem ist und auch Deutschland betrifft, was für einige Zuhörer neu und damit besonders interessant sein dürfte.

Übung 9

Was erwarten Sie nach diesem ersten Teil? Kreuzen Sie an und begründen Sie Ihre Entscheidung:

A ☐ eine Beschreibung der Probleme der Megastädte

B ☐ eine Begründung für das Wachstum der Städte

C ☐ eine Beschreibung der Chancen, die Megastädte bieten

D ☐ eine Beschreibung der Herausforderungen für die Stadtplaner

Übung 10

a Hören Sie, wie die Kandidatin ihr Referat fortsetzt. Kreuzen Sie an, was die Kandidatin in diesem Teil inhaltlich leistet:

A ☐ eine Beschreibung einiger Probleme der Megastädte

B ☐ eine Begründung für das Wachstum der Städte

C ☐ eine Beschreibung der Chancen, die Megastädte bieten

D ☐ eine Beschreibung der Herausforderungen für die Stadtplaner

b Wenn Sie nicht alles verstehen, können Sie den Text auch mitlesen.

So eine Entwicklung verursacht viele Probleme. Das sehen wir jeden Tag hier in Istanbul, die Stadt ist voll mit Autos, Lastwagen und Bussen und natürlich mit Abgasen. Für viele Menschen gibt es auch nicht genug Wohnungen. Und die Versorgung mit Wasser oder Strom wird auch immer schwieriger.

Göknil kommt in ihrem Referat gleich auf die Probleme der Megastädte zu sprechen. Das ist möglich. Sinnvoller erscheint es aber, zunächst die Frage zu beantworten, wie es überhaupt zu dieser Entwicklung zu Megastädten kommt und dann erst die Probleme zu beschreiben, die sich daraus ergeben.

Übung 11

Beginnen Sie jetzt mit dem Hauptteil Ihres Aufsatzes, indem Sie auf die Ursachen für das Wachstum eingehen.

Hier sind einige Fakten, die Sie dafür verwenden können:

Situation der Menschen auf dem Land:
- wenige Arbeitsplätze
- harte Arbeit
- keine Lebensperspektive
- schlechte sanitäre Verhältnisse
- schlechte medizinische Versorgung
- eingeschränktes Nahrungsangebot
- wenig Freizeitangebote

Erwartungen der Menschen an das Leben in der Großstadt:
- bessere/mehr Chancen in der Großstadt
- mehr Arbeitsplatzangebote
- bessere Bildungschancen für die Kinder
- höhere Lebensqualität
- bessere Versorgung mit Nahrungsmitteln
- gute medizinische Versorgung
- großes Vergnügungsangebot

Die Übungen 8 bis 11 zeigen, dass es wichtig ist, die Hauptpunkte des Referates in eine sinnvolle Reihenfolge zu bringen. Wenn das nicht gelingt, kann es passieren, dass wichtige Punkte ganz übersehen werden. So hat Göknil in ihrem Referat zwar am Anfang gesagt, sie wolle auch etwas zu den Ursachen für die Entwicklung zu Megastädten sagen, in ihrem Referat fehlt dieser wichtige Punkt aber ganz. Sie haben ihn eben in Übung 11 ergänzt.

Übung 12

a **Hören Sie nun, wie die Kandidatin ihr Referat fortsetzt. Welche Probleme spricht sie an? Notieren Sie.**

b **Wenn Sie nicht alles verstehen, können Sie den Text mitlesen und die wichtigen Informationen unterstreichen.**

> Der Abfall ist auch ein Problem. Immer mehr Menschen produzieren immer mehr Abfall, genau wie die Industrie. Dabei entstehen giftige Abfälle. Oft wird der Müll einfach irgendwo abgeladen oder verbrannt und die Risiken für die Gesundheit der Bevölkerung nehmen zu.
>
> Das Wachstum der Städte beeinflusst auch die natürlichen Ökosysteme in der Umgebung. Das bedroht die Lebensgrundlage der Bevölkerung und die Lebensqualität wird immer geringer, vor allem für die Armen.

Bisher umfasst der Hauptteil des Referates folgende Punkte:

- Wachstum und Entwicklung der Megastädte (Beispiele)
- Gründe für die Entwicklung von Megastädten (Ihre Ergänzung)
- Probleme der Megastädte

Es bleiben jetzt noch eine Reihe von Punkten, die Göknil in sinnvoller Reihenfolge präsentieren muss.

Übung 13

Hören Sie nun den nächsten Teil von Göknils Referat. Welche Themen spricht sie an?

A ☐ Maßnahmen zur Lösung der Probleme

B ☐ Chancen einer überlegten Stadtentwicklung

C ☐ Folgen für die Umwelt und Lebensqualität

D ☐ Meine Vision von einer Stadt der Zukunft

E ☐ Herausforderung für die Stadtplaner

Übung 14

Lesen Sie den Abschnitt „Folgen für die Umwelt und Lebensqualität". Unterstreichen Sie alle Gründe/Begründungen, (Schluss-)Folgerungen und Beispiele. Notieren Sie am Rand die Stellenwerte.

> Wenn Umweltprobleme und extreme Armut zusammenkommen, dann führt das natürlich zu großen sozialen Problemen. Zum Beispiel wird die Kriminalität größer. Die Armen haben keine Möglichkeiten, sich vor den Gefahren der Umweltschäden und der kriminellen Entwicklungen zu schützen. Wir brauchen deswegen eine Entwicklung, bei der es nicht nur um Wachstum geht. Wir müssen auch Rücksicht auf die Umwelt und die anderen Probleme nehmen. — *Folgerung*

Neben den sachlichen Zusammenhängen, die in so einem Text wichtig sind, geht es natürlich auch um Ihre Meinung und Wertung.

Im nächsten Teil ihres Referates beschreibt Göknil die Herausforderungen, vor denen die Stadtplaner stehen. Sie formuliert eine eigene Meinung und bewertet bestimmte Zustände. Was manchmal fehlt, sind gute Begründungen oder Schlussfolgerungen.

Übung 15

Lesen Sie den nächsten Teil des Referats und fügen Sie an geeigneter Stelle die vorgegebenen Begründungen und Schlussfolgerungen (Seite 153) ein.

> Wenn man sich diese Probleme anschaut, dann versteht man: Die Herausforderungen für die Stadtplaner in Megastädten sind riesig.
>
> Sie müssen für die Massen der Menschen Arbeitsplätze und ausreichend Wohnraum schaffen.
>
> Es muss auch eine gute medizinische Versorgung geben. Die muss billig sein. In den Megastädten gibt es heute schon sehr gute Krankenhäuser und Ärzte. Aber die sind nur für die Reichen da.
>
> Außerdem brauchen die Städte gute öffentliche Verkehrsmittel und ausreichend Schulen. Ich finde, das sollte alles kostenlos sein. Ich denke, dass wir auch viele Freizeitparks und große Parks brauchen, also viel Grün für die Menschen. Und der Lärm muss natürlich auch weniger werden. Deswegen müssen die Autos aus den Städten verschwinden.
>
> Das sind große Herausforderungen für die Stadtplaner. Wenn das nicht gelingt, dann gibt es sehr schnell riesige Probleme.

Mögliche Begründungen und (Schluss-)Folgerungen:

- Gute Bildung ist eine wesentliche Voraussetzung für die Entwicklung jedes Staates und seiner Bevölkerung.
- Verschmutzte Luft und Lärm machen alle krank.
- Die Menschen suchen ein besseres Leben in der Stadt.
- Dort müssen die Menschen unter sehr schlechten Bedingungen leben.
- Damit kann man die Ausbreitung von Krankheiten verhindern.
- Wir brauchen viel frische Luft.
- Arme können sich das nicht leisten.

Übung 16

a Hören Sie den nächsten Teil des Referates. Es geht um die Chancen einer überlegten Stadtentwicklung. Was macht die Kandidatin? Kreuzen Sie an:

A ☐ Sie entwickelt eigene Ideen.

B ☐ Sie sagt ihre Meinung.

C ☐ Sie kritisiert die Stadtentwickler.

D ☐ Sie berichtet über konkrete Projekte.

E ☐ Sie begründet ihre Meinung.

F ☐ Sie zieht Schlussfolgerungen.

G ☐ Sie bringt Beispiele.

H ☐ Sie berichtet über Fakten.

I ☐ Sie stellt Forderungen auf.

b Lesen Sie den ersten Teil dieses Abschnitts und unterstreichen Sie alle Schlussfolgerungen von Göknil.

Ich denke aber, dass die Entwicklung zu Megastädten auch einige Vorteile hat, zum Beispiel für die Wirtschaft. Viele Megastädte sind wichtige Wirtschaftszentren. Hier gibt es große Banken. Die können bei der Finanzierung von Projekten helfen. Viele Megastädte sind deswegen wichtig für die Ökonomie in ihren Ländern.

In den großen Städten gibt es auch mehr Arbeitsplätze als auf dem Land. Und die Leute können hier leichter ein Unternehmen aufbauen, denn in einer großen Stadt gibt es mehr Kunden und hier sind die großen Banken und das Kapital. Hier in der Türkei ist das auch so. Istanbul ist die größte Wirtschaftsmetropole des Landes.

2 23 **c Hören Sie den zweiten Teil dieses Abschnitts. Erkennen Sie, welche Punkte Göknil präsentiert, und notieren Sie die Reihenfolge.**

A ☐ medizinischen Versorgung

B [1] Bildungsangebote für junge Menschen

C ☐ Bedeutung des Individualverkehrs

D ☐ Angebot an Arbeitsplätzen

E ☐ öffentliche Verkehrsmittel

Auch in diesem Teil ihres Referates führt die Kandidatin viele Beobachtungen, Fakten und Beispiele auf. Hinzu kommt, dass sie stärker als bisher auch ihre eigene Meinung und eigene Ideen einbringt. An einer Stelle übt sie sogar deutlich Kritik. Auch das ist gut. Sie sollten das auch in Ihrem eigenen Referat an geeigneter Stelle tun. Ihre Prüfer wollen nämlich wissen, ob Sie kritisch denken und das auch begründen können.

Übung 17

a Hören Sie den nächsten Teil des Referates. Stoppen Sie nach jeder Antwort und notieren Sie in Stichworten Göknils Lösungsvorschläge und wie sie diese begründet.

b Wie beurteilen Sie Göknils Lösungsvorschläge? Notieren Sie.

Wie Sie sicher bemerkt haben, unterbricht der Prüfer Göknil in diesem Teil der Prüfung mehrfach. Er versucht damit, sie ein wenig von ihrem festen Konzept abzubringen und langsam zu dem abschließenden Gespräch überzuleiten. Das kann auch in Ihrer Prüfung passieren. Es gibt aber auch Prüfer/Prüferinnen, die mit Rückfragen warten, bis Sie mit Ihrem Vortrag ganz fertig sind.

Im letzten Teil des Referates formuliert Göknil ihre „Botschaft".

Übung 18

Hören Sie den letzten Teil des Referates. Fassen Sie in Ihren Worten Göknils Botschaft zusammen.

Bevor Sie nun das Gespräch über Göknils Referat hören und analysieren, sollten Sie sich noch etwas Gedanken über den Einsatz von Materialien in dem Referat machen.

Übung 19

a Lesen Sie das Referat im Lösungsheft auf Seite 9/10 und markieren Sie die Stellen, wo Göknil Materialien eingesetzt hat.

b An welcher Stelle würden Sie in diesem Referat weitere Materialien einsetzen? Machen Sie Vorschläge und nennen Sie mögliche Quellen.

Sobald der Vortrag beendet ist, beginnt der Prüfer das abschließende Gespräch über das Referat.

Übung 20

Hören Sie die Überleitung zum abschließenden Gespräch und die Antwort von Göknil. Was will der Prüfer wissen und warum? Notieren Sie.

Übung 21

a Lesen Sie noch einmal die Überleitung des Prüfers und Göknils Antwort. Was will Göknil in ihrer Antwort sagen? Notieren Sie.

> Ja, danke, Göknil, ich denke, das war sehr interessant. Können Sie uns noch einmal erklären, warum das Thema so wichtig für Sie ist?

> Ja, weil – Istanbul ist auch eine Megastadt. Und ich lebe hier. Meine Großeltern sind vor vielen Jahren vom Land hierher gekommen. Und sie hatten Glück. Sie haben mir schon oft erzählt, wie sie es geschafft haben. Sie haben ein eigenes Geschäft gemacht. Also ein Geschäft für Schuheverkaufen. Aber heute ist das nicht mehr so leicht. Es kommen immer mehr Menschen nach Istanbul. Da ist es viel schwerer, Geld zu verdienen.
>
> Außerdem will ich, dass Istanbul eine schöne Stadt bleibt. Ich finde Istanbul wunderschön. Ich – ich möchte nicht, dass die Stadt durch Autos und hässliche moderne Häuser – äh – kaputt gemacht wird. Wir haben so schöne Moscheen und na ja … viele schöne Sachen.

b Göknils Antwort ist sprachlich nicht besonders gut. Warum? Welches Problem hat sie?

Auch hier zeigt sich wieder, dass es sehr wichtig ist, einen guten Wortschatz zu haben und bei allen Aussagen im Referat über eine sinnvolle Begründung nachzudenken. Lehrer haben eine gute Nase für fehlende Begründungen und lieben es, bei solchen Lücken Nachfragen zu stellen – es ist besser, Sie geben ihnen dazu keine Chance. Achten Sie darauf, dass Ihre Aussagen von Anfang an gut begründet sind, und verwenden Sie das passende Fachvokabular.

Übung 22

Verbessern Sie Göknils Antwort. Verwenden Sie die folgenden Fachwörter und fügen Sie die vorgegebenen Begründungen ein.

Wörter:
ziehen/umziehen – aufmachen/gründen – das Schuhgeschäft – Erfolg haben – die Abgase (Pl.) – verschmutzen – das Gebäude – das Bürogebäude – das Hochhaus – zerstören – eine lange Geschichte

Begründungen:
Familie persönlich betroffen – Konkurrenz ist größer – billige Supermärkte / viele Angebote – historisches Stadtbild nicht verändern / Erbe erhalten

Ähnliche Probleme hat Göknil im folgenden Teil des Prüfungsgesprächs.

Übung 23

a Hören Sie die nächsten Fragen und Antworten. Worum geht es dem Prüfer? Notieren Sie.

b Lesen Sie jetzt die letzten Fragen und Antworten. Beschreiben Sie, was an den Antworten von Göknil nicht gut ist.

Ich habe schon gehört, dass Sie sehr stolz auf Ihre Heimatstadt Istanbul sind. Ich glaube, dann müssen wir auch noch einmal nachfragen, was wird in Istanbul denn getan, um die Probleme zu lösen, von denen Sie eben berichtet haben?

Ja, zum Beispiel, in Istanbul gibt es viele Architekturprojekte – neue Projekte –, auch sind alte Häuser renoviert oder konstruiert – äh – mit neuer Technik, äh, Bautechnik. Deswegen wird es jeden Tag besser. Auch gibt es hohe Häuser, Hochhäuser, in manchen Stadtteilen. So wird jeden Tag viel gebaut

Können Sie Beispiele dazu nennen?

Ja, zum Beispiel gibt es einen Stadtteil mit vielen Hochhäusern. Und es gibt auch Stadtteile mit alten Häusern, die renoviert sind. Sie wissen, da gibt es viele alte Häuser.

Nun ist ja das Problem der Verkehrssituation in Istanbul allen bekannt. Vielleicht können Sie auch darauf noch einmal eingehen.

Ja, es gibt zu viele Verkehrsprobleme in Istanbul. Es gibt viele Autos und Menschen möchten viele Autos verkaufen. Aber sie möchten die öffentlichen Verkehrsmittel nicht benutzen. Und deswegen wird der Verkehr jeden Tag schlechter. Auch gibt es öffentliche Verkehrsmittel in Istanbul, zum Beispiel S-Bahn oder U-Bahn. Aber die sind nicht sehr verbreitet. Und deswegen ist es auch schwer, hier mit der U-Bahn zu fahren.

Göknil zeigt in diesem Teil des Referates inhaltliche Schwächen. Achten Sie bei der Vorbereitung Ihres Referates also auch auf Inhalte, die über das hinausgehen, was Sie im Referat selbst berichten. Mit anderen Worten, Sie müssen mehr wissen, als Sie in Ihrem Referat sagen.

Übung 24

a **Hören Sie die beiden nächsten Fragen und Göknils Antwort. Warum stellt der Prüfer wahrscheinlich die erste Frage?**

b **Wie bewerten Sie die Antworten von Göknil auf die beiden Fragen? Notieren Sie.**

Wie auch diese Fragen und Antworten zeigen, ist es sehr wichtig, mehr zu wissen, als Sie im Referat sagen. Niemand will Sie in der Prüfung hereinlegen, aber das Gespräch über Ihr Referat soll ja zeigen, dass Sie alle Zusammenhänge, die Sie angesprochen haben, auch wirklich verstehen und dass Sie darüber hinaus noch ein wenig Bescheid wissen.

Stellen Sie sich also selbst keine Falle. Lassen Sie keine Lücken, die zu unerwarteten Rückfragen führen können, oder noch besser: Verzichten Sie ganz auf Aussagen und Behauptungen, die Sie später nicht begründen können.

Im letzten Teil des Gesprächs stellt der Prüfer noch Fragen, die über das hinausgehen, was Göknil in ihrem Referat bereits gesagt hat.

Übung 25

a **Hören Sie den Schluss des Gesprächs. Was möchte der Prüfer im letzten Teil der Prüfung noch erreichen?**

b **Wie beurteilen Sie Göknils Reaktion auf die Prüferfragen?**

Wie Sie an diesem Beispiel sehen, kann es auch vorkommen, dass der Prüfer Fragen stellt, die schwer verständlich oder inhaltlich nicht besonders gut sind. Auch Prüfer machen manchmal Fehler. Wenn Sie also eine Frage nicht richtig verstehen, weil sie ungenau ist oder Sie sich nicht sicher sind, ob Sie sie richtig verstanden haben, sollten Sie besser zurückfragen, zum Beispiel so:

Entschuldigung, das habe ich nicht richtig verstanden. Könnten Sie die Frage bitte wiederholen?

Wie meinen Sie das? Könnten Sie das bitte etwas genauer erklären?

Es ist auch sinnvoll, manchmal zu widersprechen. In unserem Beispiel möchte der Prüfer unbedingt auf einen interkulturellen Vergleich von Istanbul und Hamburg hinaus. Aber Göknil bemerkt, dass das in diesem Fall nicht funktioniert und sagt das auch. – Das ist eine sehr gute Reaktion der Schülerin.

Also trauen Sie sich ruhig, freundlich zu widersprechen, wenn Sie einigermaßen sicher sind, dass eine Frage oder Behauptung des Prüfers nicht besonders gut ist. Die Prüfer werden das später positiv bewerten.

Leseverstehen: Abschlusstraining

Mit den Arbeitsschritten, die Sie im Basistraining und Powertraining zum *Leseverstehen* eingeübt haben, sind Sie gut auf die Prüfung vorbereitet. Es kann aber sein, dass Sie manchmal einen anderen Weg besser finden. Hier in der dritten Phase haben Sie die Möglichkeit, die vorgegebenen Schritte noch einmal zu überprüfen und eventuell Schritte zu überspringen oder eigene hinzuzufügen. Außerdem können Sie Ihre individuelle Arbeitszeit überprüfen. Legen Sie dazu eine Uhr bereit und messen Sie bei den verschiedenen Prüfungsteilen Ihre genaue Zeit. Beginnen Sie erst dann mit der Zeitmessung, wenn Sie mit einem Prüfungsteil anfangen. Zu Beginn jedes Prüfungsteils ist jeweils die vorgeschlagene Arbeitszeit angegeben.

In jedem Prüfungsteil können Sie so vorgehen:

Lesen Sie noch einmal die Arbeitsschritte zu diesem Prüfungsteil durch.

Sie finden die Arbeitsschritte und Memos noch einmal vor jedem Prüfungsteil. Wenn Sie sich nicht mehr sicher sind, was Sie in den einzelnen Arbeitsschritten machen sollen, können Sie im Basistraining noch einmal nachlesen.

Bearbeiten Sie den Prüfungsteil wie in der richtigen Prüfung.

Versuchen Sie, die vorgegebenen Arbeitsschritte einzuhalten.

Ermitteln Sie Ihre individuelle Arbeitszeit.

Messen Sie die Zeit, die Sie benötigen, um jeden Prüfungsteil durchzuarbeiten. Beginnen Sie erst mit der Messung, wenn Sie mit dem Test beginnen. Neben den Texten und Aufgaben finden Sie zwei „Uhren". Dort können Sie Beginn und Ende Ihrer Arbeitszeit eintragen. Überprüfen Sie nach jedem Prüfungsteil, ob Sie mehr oder weniger Zeit benötigt haben als vorgeschlagen. Überlegen Sie, woran das liegen könnte.

Überprüfen Sie Ihre Arbeitsschritte.

Überdenken Sie noch einmal die verschiedenen Arbeitsschritte. Wenn es irgendwo Probleme gab, versuchen Sie, in Ihren Worten zu beschreiben, warum ein Arbeitsschritt nicht geklappt hat. – Lag es an der Anweisung oder an Ihnen? Brauchen Sie mehr Übung? Notieren Sie, was Sie eventuell anders machen möchten. Sprechen Sie darüber auch mit Ihrem Lehrer / Ihrer Lehrerin.

Vielleicht finden Sie einen Schritt überflüssig oder würden lieber in einer anderen Reihenfolge vorgehen. Hier im Abschlusstraining haben Sie die Möglichkeit, die Arbeitsschritte Ihrer Arbeitsweise und Ihrem Arbeitstempo anzupassen. Aber denken Sie immer daran, dass die Vorschläge im Prüfungstrainer gut durchdacht sind. Wenn Sie etwas ändern, müssen Sie sicher sein, dass das wirklich der bessere Weg für Sie ist.

Ganz am Ende des Prüfungsteils *Leseverstehen* müssen Sie Ihre Lösungen noch in das Antwortblatt eintragen.

Leseverstehen Teil 1

Schritt 1: Lesen Sie die Überschrift.

- Schritt 1 und 2 schnell bearbeiten.

Schritt 2: Schauen Sie sich Überschrift Z und Beispieltext 0 an.

Schritt 3: Lesen Sie alle Überschriften.

- Verkürzte oder unvollständige Überschriften zu vollständigen Sätzen umformulieren.

Schritt 4: Markieren Sie die wichtigen Informationen im ersten Text.

- Nicht alle Texte auf einmal lesen. Zeit sparen.

Schritt 5: Finden Sie eine passende Überschrift für den ersten Text.

- Meistens gibt es zwei oder mehr ähnliche Überschriften.
- Verwendete Überschriften durchstreichen.

Schritt 6: Bearbeiten Sie die übrigen Texte wie in Schritt 4 und 5 beschrieben.

- Schon im ersten Durchgang unbedingt eine Lösung notieren.

Schritt 7: Kontrollieren Sie Ihre Lösungen.

- Vergleichen Sie noch einmal Texte und Überschriften.
- Haben Sie jedem Text einen Buchstaben zugeordnet?
- Haben Sie jeden Buchstaben nur einmal verwendet?

Vorgeschlagene Arbeitszeit: 10 Minuten

Beginn :

Rund ums Rad

Lesen Sie zuerst die folgenden Überschriften (A–I). Lesen Sie dann die nachstehenden kurzen Meldungen zum Thema Fahrrad (1–5). Welche Überschrift passt zu welchem Text?

Schreiben Sie den richtigen Buchstaben (A–I) in die rechte Spalte.

Sie können jeden Buchstaben nur einmal wählen. Vier Buchstaben bleiben übrig.

Beispiel:

Z	Unterschiede im Leistungsdenken

Aufgaben:

A	Tourenplaner im Internet
B	Verkauf von Elektrorädern geht zurück
C	Schutzhelme für alle Fahrradfahrer
D	Fahrradfahren in der kalten Jahreszeit
E	Qualitätsprobleme bei Elektrorädern
F	Risiken beim Radfahren im Wald
G	Helmpflicht nur bei schnellen Elektrorädern
H	Landkarten für Fahrradfahrer
I	Schnelle Räder sind sehr gefragt

0	Das ist der Unterschied: Frauen stellen sich der Herausforderung, während sich Männer unter Leistungsdruck setzen. Wenn Männer in einer Gruppe sind, dann ist ein Leistungsgedanke immer mit am Start. Bei Frauen ist es ziemlich egal, wer am Berg schneller ist oder etwas langsamer. Es wird immer wieder auf alle gewartet, egal wie lange es dauert. Die Zeit vertreibt man sich durch Fotografieren und indem man miteinander in der Sonne sitzt. Bei Männern wird sofort auf die Uhr geschaut und alle werden ungeduldig, wenn einer langsamer ist.	Z
1	Elektrofahrräder sind echte Renner, auch im wirtschaftlichen Sinn: Im Durchschnitt werden rund 300 000 davon jedes Jahr in Deutschland verkauft. Eigentlich ein Grund zum Feiern – doch manche Händler klagen über viele Defekte und unzufriedene Kunden. Schlechte Qualität dürfte es eigentlich nur bei Billigrädern aus dem Supermarkt geben. Wer beim Fachhändler kaufe, der könne eigentlich nichts falsch machen, heißt es. Aber auch E-Bikes von Herstellern mit gutem Namen scheinen mit Qualitätsmängeln zu kämpfen und machen Kunden und Händlern das Leben schwer.	
2	Wer in Deutschland ein Elektrofahrrad fahren will, muss in bestimmten Fällen einen Schutzhelm tragen. Schutzhelmpflicht besteht, wenn das Fahrrad mit Unterstützung des Elektromotors Geschwindigkeiten bis zu 45 Stundenkilometern erreicht. In diesem Fall wird das Elektrofahrrad wie ein kleines Motorrad behandelt. Entscheidend ist also die mögliche Höchstgeschwindigkeit, die erreicht werden kann. Fahrräder mit einem Elektroantrieb, der sich bei 25 Stundenkilometern von selbst abschaltet, werden wie normale Fahrräder behandelt. In diesem Fall ist das Tragen eines Helms freiwillig.	
3	Aufsteigen und ab in den Wald! Der Wald ist die perfekte Umgebung zum Radfahren auch im Winter. Zwischen den Bäumen ist man vor dem kalten Wind geschützt. Es macht richtig Spaß, auch bei Schnee und Eis durch den Wald zu fahren. Hierfür ist allerdings eine passende Ausrüstung erforderlich. Ein Rennrad sollte man besser zu Hause lassen. Besonders wichtig sind gute Winterreifen. Die Winterbereifung vermindert das Risiko zu stürzen. Breite Reifen mit sehr grobem Profil sind am besten geeignet.	

4	Ob individuelle Trainingsstrecke oder mehrtägige Tour im In- oder Ausland, alles lässt sich heutzutage am heimischen PC in kurzer Zeit perfekt vorbereiten. Die meisten Radroutenplaner enthalten nicht nur genaue Strecken- und Straßenkarten, sondern auch integrierte Hotel- und Restaurantführer sowie Informationen zu Sehenswürdigkeiten und besonders interessanten Orten entlang der Strecken. Ausführliche Tipps zu Ernährung und Training, zu verkehrsgerechtem Verhalten, zur Rücksichtnahme auf die Umwelt und vieles mehr runden das umfangreiche Angebot ab.	
5	„Das muss auch mal richtig schnell gehen, sonst macht es keinen Spaß", meint ein älterer Herr, der auf seinem Rennrad an der Ampel wartet. Und viele andere sehen das ebenso. Die „Renner" liegen im Trend. Zum einen, weil sie es längst zum Statussymbol geschafft haben. Zum andern auch aus praktischen Gründen: Kopfsteinpflaster, das noch vor 15 Jahren häufig anzutreffen war, gibt es heute kaum mehr – also kommt man auch mit den schmalen Reifen der Rennräder heute bequem durch die asphaltierte Stadt.	

Ende   :

Leseverstehen Teil 2

Schritt 1: Verschaffen Sie sich einen ersten Eindruck vom Text.

- Nur Anfang und Ende des Textes lesen. Zeit sparen.

Schritt 2: Markieren Sie die wichtigen Informationen in den Aufgaben.

- Schlüsselwörter unterstreichen. Andere wichtige Wörter einkreisen.
- Schwierige Aussagen in einfache Sätze umwandeln.

Schritt 3: Finden Sie die passende Textstelle zu jeder Aussage.

- Aufgabe lesen und sich die Aussage genau merken.
- Den Text bis zu der Stelle lesen, an der Informationen stehen, die zur Aufgabe passen.
- Am Ende einer Textstelle immer einen senkrechten Strich machen.
- Wörtliche Übereinstimmungen zwischen Aufgabe und Text können in die Irre führen.
- Die passenden Textstellen und die Aufgaben stehen immer in derselben Reihenfolge.
- Zu jedem Abschnitt gibt es immer entweder eine Aufgabe oder keine.

Schritt 4: Überprüfen Sie Ihre Lösungen.

- Kontrollieren Sie noch einmal alle Textstellen und Aussagen der Reihe nach. Vergleichen Sie dabei die Informationen im Text genau mit den Aussagen.
- Denken Sie daran: Zu jedem Abschnitt gibt es immer entweder eine Aussage oder keine.
- Achten Sie darauf, dass Sie bei allen Aufgaben nur jeweils ein Kreuz gemacht haben.

Vorgeschlagene Arbeitszeit: 15 Minuten

Flugzeugwäscher

Beginn :

Lesen Sie den Text und die Aufgaben (6–12).

Kreuzen Sie bei jeder Aufgabe (6–12) an: „richtig", „falsch" oder „Der Text sagt dazu nichts".

Flugzeuge sind Technikwunderwerke. Doch wenn sie dreckig sind, geht es ganz handfest mit Wasser, Seife und Lappen zur Sache. Die Maschine, die am Morgen mit über zweihundert Menschen an Bord aus San Francisco kam, braucht eine ordentliche Dusche. Das funktioniert bei der Technikabteilung am Frankfurter Flughafen nicht mit Hightech – sondern mit Handarbeit.

Eine Putzkolonne ist 24 Stunden im Einsatz. In drei Schichten arbeitet das Team, die Arbeit dauert bis tief in die Nacht. Viele der Arbeiter tragen Regenmäntel, Hüte und Handschuhe. Rund 13 000 Liter Wasser verbraucht die Airbus-Dusche – die Füllung von rund 100 Badewannen.

Das Spülwasser tropft durch Gitter in ein unterirdisches Becken. Dort wird es aufbereitet und wieder verwendet. Kurzstreckenmaschinen werden alle 85 Tage gereinigt, Langstreckenflieger alle vier bis fünf Monate.

Das Team beseitigt den Schmutz von Starts und Landungen und putzt schmierige Streifen hinter den Triebwerken weg. Das sieht nicht nur schöner aus, es verringert auch den Luftwiderstand. Dadurch wird Treibstoff eingespart.

Eine Nasswäsche für den A380 und andere große Flieger ist allerdings eher die Ausnahme, wie ein Sprecher der Technikabteilung erklärt. Die großen Maschinen werden in fünf von sechs Fällen trocken gereinigt, also mit einer Spezialpaste poliert. Das spart Wasser und die Oberfläche wird noch glatter. Außerdem spart man Arbeitszeit. Bei einem A380 dauert eine Nasswäsche 450 Arbeitsstunden, für eine Trockenreinigung sind nur 280 Arbeitsstunden nötig.

Nach rund 800 Flugstunden knöpft sich ein Team auch das Flugzeuginnere vor: Bezüge werden gewechselt, Tische gewischt, sogar ein Kammerjäger inspiziert das Flugzeug und untersucht die Kabine auf Ungeziefer.

Was für ein Kontrast: Die Flieger strotzen vor Technik, werden aber von Hand gewaschen. „Wir haben vor Jahren mal eine Reinigungsmaschine gehabt. Aber da haben wir festgestellt, dass sie zu viele Schäden verursacht", sagt der verantwortliche Meister. „Und das Gerät hat auch nicht alle Ecken erreicht."

Die Mitarbeiter dagegen putzen blitzblank, rangieren dabei aber oft gefährlich nah an der Maschine. Streift einer den Flieger mit der Hebebühne, wird es teuer. Die Arbeiter müssen aufpassen, dass sie keine Kratzer in die Maschinen machen.

Sensible Geräte wie Temperatur- und Höhenmesser werden zuvor abgeklebt und die Räder wickelt man ein, um die Bremsen vor Chemikalien zu schützen. Geht etwas schief, muss der Flieger länger am Boden bleiben. Auch das kostet natürlich Geld.

Rund 120 Mitarbeiter gehören zu der Putzkolonne. Sie reinigt etwa acht Maschinen pro Woche und außerdem täglich die Cockpit-Scheiben aller Maschinen. Jederzeit kann ihr Job abgesagt werden. Die Arbeiter sind abhängig vom Flugplan. Kurz vorher können die Maschinen im wahrsten Wortsinn aus dem Programm fliegen – wenn sie gebraucht werden für London, New York oder Tokyo.

		richtig	falsch	Der Text sagt dazu nichts
		A	B	C
6	Am Frankfurter Flugplatz können auch kleinere Flugzeuge nur per Hand gewaschen werden.			
7	Die Arbeiter müssen bei jedem Wetter Regenmäntel tragen.			
8	Ein sauberes Flugzeug braucht weniger Treibstoff als eine schmutzige Maschine.			
9	Die großen Flugzeuge werden normalerweise mit Wasser gewaschen.			
10	Die maschinelle Reinigung eines Flugzeugs ist schonender als eine Wäsche von Hand.			
11	Für die Mitarbeiter der Putzkolonnen ist die Arbeit an der Maschine oft gefährlich.			
12	Die Arbeit der Putzkolonne hängt vom Flugplan der Maschinen ab.			

Ende :

Leseverstehen Teil 3

Schritt 1: Verschaffen Sie sich einen ersten Eindruck vom Text.

- Überschrift und Text bis zur ersten Lücke (0) lesen.

Schritt 2: Lesen Sie die Sätze (A–G) und markieren Sie Informationen, die sich (wahrscheinlich) auf den Text davor beziehen.

- Manchmal gibt schon der Satzanfang einen Hinweis auf den Text davor.
- Manchmal beziehen sich Informationen im Satz auf den Text davor.

Schritt 3: Lesen Sie den Text und finden Sie zu jeder Lücke den passenden Satz.

- Immer nur bis zur nächsten Lücke lesen.
- Wichtige Informationen markieren und das Thema in diesem Abschnitt erkennen.
- Wichtige Informationen im Text mit den markierten Informationen im Satz vergleichen.
- Sätze, die passen, durchstreichen.
- Auch der Satz/Text nach einer Lücke muss zu dem eingefügten Satz passen.
- Ein passender Satzanfang kann in die Irre führen.
- Ob ein Satz passt, entscheidet letztlich der Kontext.
- Bei Zweifeln Nummer der Lücke neben den Satz schreiben und ein Fragezeichen machen.

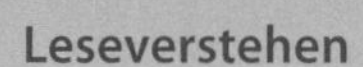

Schritt 4: Kontrollieren Sie Ihre Lösungen.

- Hört sich alles richtig an? Sind die Satzanfänge logisch?
- Stimmt die Bedeutung des Textes? Passen die eingefügten Sätze zum Thema des Abschnitts?
- Haben Sie jeden Buchstaben nur einmal verwendet?
- Haben Sie alle Lücken gefüllt?

Vorgeschlagene Arbeitszeit: 20 Minuten

Beginn __ : __

Sie finden unten einen Lesetext. Dieser Text hat fünf Lücken (Aufgaben 13–17).

Setzen Sie aus der Satzliste (A–G) den richtigen Satz in jede Lücke ein.

Zwei Sätze bleiben übrig.

Als Erstes lesen Sie ein Beispiel. Das Beispiel (0) hat die Lösung Z.

Haiangriffe auf Menschen

Weltweit sterben mehr Menschen durch Bienen- und Wespenstiche als durch eine Haiattacke, von den Verkehrsunfällen auf unseren Straßen ganz zu schweigen. (0) __Z__.

Ein Grund für die Haiattacken könnte sein, dass der angreifende Hai den Menschen schlichtweg mit einem Beutetier verwechselt. So abwegig ist der Gedanke nicht. (13) _____. Deswegen dürfte es für einen Weißen Hai tatsächlich nicht ganz einfach sein, aus einigen Metern Wassertiefe eine an der Oberfläche schwimmende Robbe von einem Menschen auf einem Surfbrett zu unterscheiden. Andere Fachleute glauben, dass ein Hai, bevor er angreift, zuerst versucht, das Objekt, das er im Wasser wahrnimmt, einer bestimmten Beuteart zuzuordnen. So könnte ein Surfer optisch zu einem Beutetier passen und vielleicht sogar ähnliche elektrische Reize aussenden, aber sicher kann sich der Hai wohl nicht sein. (14) _____. Er will herausfinden, ob das „Objekt" fressbar ist oder nicht, und beißt zu. Ein weiterer Grund könnte die Revierverteidigung sein, obwohl bis heute nicht bewiesen ist, dass Haie wirklich Reviere für sich beanspruchen. Manche Wissenschaftler glauben aber, dass Haie – wie viele andere Tiere auch – ein bestimmtes Revier zumindest für einige Zeit in Anspruch nehmen, nämlich dann, wenn sie Beute gemacht und diese noch nicht komplett gefressen haben. (15) _____. Wenn ein Hai ausgerechnet in diesem Augenblick von einem Menschen gestört wird, so kann es durchaus gefährlich werden, weil er den Menschen für einen Konkurrenten hält, der ihm die Beute streitig machen möchte.

Es kann auch sein, dass ein Schwimmer oder Taucher einen Hai provoziert, indem er ihn zum Beispiel etwas zu energisch verfolgt, um ein Foto zu schießen. (16) ______. Wohl am bekanntesten ist dieses Verhalten vom Grauen Riffhai. Der Hai schüttelt Kopf und Schwanz, um einen plötzlichen Angriff zu simulieren, bewegt seine Brustflossen senkrecht oder macht einen Buckel und schwimmt dann eine horizontale Spirale oder mehrere Achterfiguren. Wenn er damit keinen Erfolg hat, setzt er sich mit seiner gefährlichsten Waffe zur Wehr. Und das ist sein Maul, mit dem er enormen Schaden anrichten kann.

Insgesamt ist das Risiko, Opfer einer Haiattacke zu werden, sehr gering. (17) ______. Bei ca. 40 Milliarden Badenden im Jahr kommt es im Schnitt zu 50 – 75 Haiunfällen im Jahr, wobei ca. zehn tödlich enden.

Seien Sie also bei Ihrem nächsten Urlaub ganz beruhigt: Sie tippen eher einen Sechser im Lotto, als dass Sie von einem Hai angegriffen werden.

Z	Trotzdem stellt sich die Frage, warum Haie überhaupt Menschen angreifen.
A	Es könnte also sein, dass der Hai vor dem richtigen Angriff einen letzten Test machen will.
B	Ähnlich wie wir Menschen verlassen sich die Haie nämlich hauptsächlich auf ihre Augen.
C	Das Medienecho und die damit ausgelöste Hysterie nach Haiunfällen steht in keinem Verhältnis zu der Anzahl von Haiangriffen.
D	In dieser Situation fühlt sich der Hai bedroht und versucht, mit seiner Beute zu entkommen.
E	Sie schützen dann die Umgebung gegen Feinde und Konkurrenten, die ihnen die Beute wegnehmen könnten.
F	Wenn ein Mensch diese Sprache nicht versteht und sich nicht vorsichtig entfernt, greift der Hai an.
G	Wenn der Hai sich in so einer Situation provoziert fühlt, wird er zunächst versuchen, den Verfolger durch Drohgebärden einzuschüchtern.

Ende :

Leseverstehen Teil 4

Schritt 1: Verschaffen Sie sich einen ersten Eindruck vom Text.

- Die beiden ersten Abschnitte des Textes lesen. Schluss kurz überfliegen.

Schritt 2: Markieren Sie die wichtigen Informationen in den Satzanfängen der Aufgaben 18 – 23.

- Die Satzanfänge reichen, um die passenden Textstellen zu finden.

Schritt 3: Finden Sie die passende Textstelle zu den Aufgaben 18 – 23.

- Aufgaben und Textstellen kommen immer in derselben Reihenfolge.
- Nummer der Aufgabe neben die passende Textstelle schreiben.
- Bei Unsicherheit Nummer mit Fragezeichen neben den Textabschnitt schreiben.
- In Abschnitten arbeiten. Nie mehrere Abschnitte hintereinander lesen.
- Vor jedem Textabschnitt noch einmal die Informationen aus der Aufgabe nachlesen.

Schritt 4: Bestimmen Sie die richtige Aussage in den Aufgaben 18 – 23.

- Jede Aufgabe genau mit der zugeordneten Textstelle vergleichen.
- Wenn Sie ganz sicher sind, sofort ein Kreuz machen.
- Nicht zu viel Zeit auf jede Aufgabe verwenden.
- Wenn Sie unsicher sind, ein Fragezeichen am Rand machen oder raten.

Schritt 5: Bestimmen Sie die richtige Aussage oder Überschrift in Aufgabe 24.

- Wichtige Wörter in der Aufgabe unterstreichen.
- Folgende Ergänzung einfügen: In dem Text geht es NUR / VOR ALLEM um … / darum, dass …
- In der letzten Aufgabe geht es immer um den Text als Ganzes, nicht um einen Abschnitt.

Schritt 6: Kontrollieren Sie Ihre Lösungen.

- Vergleichen Sie noch einmal Textstellen und Aufgaben.
- Haben Sie bei jeder Aufgabe nur ein Kreuz gemacht?
- Wenn Sie keine Lösung wissen, raten Sie einfach.

Vorgeschlagene Arbeitszeit: 30 Minuten

Beginn ___ : ___

Lesen Sie den Text und die Aufgaben 18 – 24.

Kreuzen Sie bei jeder Aufgabe die richtige Lösung an.

Fast wie zu Hause

Die Begeisterung für Auslandssemester ist naiv. Denn wer an einem Austauschprogramm für Studenten teilnimmt, wechselt zwar das Land, aber selten sein Milieu. Es ist nicht einfach, an deutschen Unis jemanden zu finden wie Vanessa. Jemanden, der nach seiner Rückkehr aus dem Auslandssemester nicht diese immer gleiche Geschichte erzählt, die augenzwinkernd mit dem bürokratischen Wahnsinn fremdländischer Prüfungsämter beginnt und mit einer alles überstrahlenden Lobpreisung von Land und Leuten endet. Nach vier Monaten in Los Angeles sagt Vanessa: „Auslandssemester werden vollkommen überbewertet."

Im Ausland zu studieren hat sich zu einer regelrechten Mode im Uni-Leben entwickelt. Es steht für Weltgewandtheit, für interkulturelle Kompetenz, für ein zusammenwachsendes Europa, für Frieden, Verständnis, Toleranz, für das Gute schlechthin. Von 2000 bis 2008 hat sich die Zahl der deutschen Studierenden im Ausland verdoppelt, die meisten gehen über das Erasmus-Programm der Europäischen Union. Insgesamt verbringen rund 15 Prozent der deutschen Studenten einen Teil ihres Studiums jenseits der Landesgrenzen. Das ist schon recht nah an der Zielmarke, die die europäischen Hochschulminister anpeilen: 20 Prozent bis 2020.

Ein Auslandsaufenthalt scheint ein derartiges Muss im Lebenslauf zu sein, dass Bewerbertrainer allen Daheimgebliebenen raten, im Vorstellungsgespräch kleinlaut zuzugeben, die Vorzüge der Ferne unterschätzt zu haben. Dabei wäre es mittlerweile wohl eher an der Zeit für die Gegenfrage: Überschätzen Hochschulen, Politiker, Arbeitgeber und auch Studenten nicht längst den Wert von Auslandssemestern?

Als Vanessa im vorigen August am Flughafen stand, war da natürlich auch das Kribbeln, das Gefühl, in ein großes Abenteuer aufzubrechen. Bisher war die 23-jährige Geschichtsstudentin aus Frankfurt nie länger als zwei Wochen von zu Hause weg gewesen und jetzt: vier Monate Studium in den USA, mit einem großen Ozean dazwischen und neun Zeitzonen. „Ich wollte was von der Welt sehen", sagt Vanessa, „deshalb ging's auch ganz ans andere Ende der Welt."

Als sie 9300 Kilometer westlich von Frankfurt an der Pazifikküste gelandet war und die ersten Sightseeing-Touren hinter sich hatte, stellte Vanessa aber ziemlich bald fest: So anders ist es gar nicht. Sie teilte sich mit anderen Deutschen das Apartment. Wenn sie Ausflüge machte, dann ebenfalls immer nur mit anderen Deutschen, die sich berauschten am Gefühl, so weit, weit weg zu sein. „Mich persönlich hat es genervt, dass jeder um mich herum permanent meinte, wie toll doch alles ist", erzählt Vanessa. „Das war Unsinn. Klar, schlecht war's nicht. Aber es wurde ziemlich schnell normal." Wie zu Hause eben. Nur dass die Menschen von zu Hause 9300 Kilometer Luftlinie entfernt waren.

Vanessas Bilanz: wenig Abenteuer und viel Alltag, der aber mit umso mehr Heimweh erkauft war. Und das Heimweh wiederum durfte nicht sein, wo sich doch alle enthusiastisch in ihrer Internationalität bespiegelten. „Es wäre mir unfassbar peinlich gewesen abzubrechen", sagt Vanessa.

Auch Julia, 23, die gerade an der Universität Uppsala Schwedisch studiert, wirkt eher ernüchtert von ihrem Auslandssemester. „Egal wo man hinkommt, man ist erst einmal Tourist", sagt sie. Die Kontakte mit den einheimischen Studenten bleiben oberflächlich – kein Wunder, wenn sie erfahren, dass man sowieso nur bis Weihnachten im Land ist. „Und in den Kursen trifft man die meiste Zeit nur andere Erasmus-Studenten und da finden sich dann schnell die Landsleute zusammen", erzählt Julia. „Ich spreche hier mehr Deutsch als Schwedisch." Ihr Fazit: In der kurzen Zeit gewinnt man vielleicht ein paar Facebook-Freunde mit schwedischen, französischen oder englischen Namen, die dem eigenen Profil ganz gut stehen. „Aber besonders viel über Land und Leute lernt man eigentlich nicht. Es ist wie zu Hause, aber ohne die Freunde und Gewohnheiten von zu Hause." Julia will ihren Aufenthalt deswegen verkürzen und bald wieder zurückkehren an die Uni Greifswald.

Sieht man sich die Statistiken der Bildungsforscher an, ahnt man schnell, was hinter diesem Gefühl steht: Junge Leute wechseln heute zwar schnell das Land. Aber kaum ihr Milieu.

Eine gemeinsame Studie, die das Bundesministerium für Bildung und Forschung, das Deutsche Studentenwerk und das Hannoveraner Forschungsinstitut Hochschul-Informations-System (HIS) am Anfang des Jahres vorstellten, zeigt, wie deutlich die Entscheidung für ein Auslandsstudium vom Elternhaus abhängt: Studierende der höchsten sozialen Herkunftsschicht gehen doppelt so häufig ins Ausland wie Studierende aus der niedrigsten sozialen Herkunftsschicht. Und dabei hängt der Hochschulzugang in Deutschland ja selbst schon extrem stark davon ab, welchen Bildungsabschluss Mutter und Vater haben.

In den Wohnheimen von Stockholm bis Valencia begegnen sich also junge Menschen, die zwar unterschiedlich kochen, aber doch sehr ähnlich denken, deren Eltern ähnliche Berufe haben und die sich gerne einig sind, Filme lieber im Original statt synchronisiert zu sehen. Das als besonders kosmopolitisch zu bezeichnen ist ein Selbstbetrug. Im Ausland treffen die Kinder der gehobenen europäischen Mittelschicht aufeinander, keine Kulturen.

Aufgaben 18 – 24

18 Die meisten Studenten

A ☐ denken über Auslandssemester ähnlich wie Vanessa.

B ☐ gehen nur für vier Monate ins Ausland.

C ☐ sind von ihren Auslandssemestern begeistert.

19 Die Zahl der deutschen Studenten, die ein Auslandssemester machen,

A ☐ liegt derzeit bei ungefähr 15 Prozent.

B ☐ hat seit 2000 um ca. 15 Prozent zugenommen.

C ☐ wird sich bis 2020 voraussichtlich verdoppeln.

20 Heute stellt sich die Frage, ob Auslandssemester von

A ☐ Bewerbungstrainern unterschätzt werden.

B ☐ der Gesellschaft überschätzt werden.

C ☐ Studenten genügend geschätzt werden.

21 Nach den ersten Besichtigungsfahrten

A ☐ war Vanessa begeistert von der Pazifikküste.

B ☐ fühlte sich Vanessa ähnlich wie zu Hause.

C ☐ wollte Vanessa wieder zurück nach Deutschland.

22 Julia ist mit ihrem Auslandssemester in Schweden nicht zufrieden, weil sie

A ☐ kaum Leute aus Deutschland getroffen hat.

B ☐ nur wenige Facebook-Freunde gefunden hat.

C ☐ in dieser Zeit nicht viel Neues erfahren hat.

23 Die Entscheidung für ein Auslandsstudium hängt in Deutschland oft davon ab,

A ☐ wie die sozialen Verhältnisse des Elternhauses sind.

B ☐ welches Hochschulstudium die Eltern absolviert haben.

C ☐ aus welcher sozialen Herkunftsschicht die Eltern stammen.

---

24 In dem Text wird

A ☐ die Bedeutung von Auslandssemestern beschrieben.

B ☐ von Studiensemestern im Ausland abgeraten.

C ☐ der Wert von Auslandssemestern infrage gestellt.

Auswertung des Leseverstehens

Notieren Sie alle Zeiten aus *Leseverstehen 1–4* und errechnen Sie, welche Gesamtzeit Sie für den Prüfungsteil *Leseverstehen* benötigt haben. Es sollten insgesamt nicht mehr als 75 Minuten sein.

	meine Zeit	vorgeschlagene Zeit
Teil 1		10 Minuten
Teil 2		15 Minuten
Teil 3		20 Minuten
Teil 4		30 Minuten
Gesamtzeit		75 Minuten

Markieren Sie die Teile, für die Sie besonders viel Zeit gebraucht haben. Überlegen und notieren Sie, woran das wahrscheinlich liegt. Sprechen Sie darüber auch mit Ihrem Lehrer / Ihrer Lehrerin und bearbeiten Sie noch einmal das Basistraining.

Übertragen Sie Ihre Lösungen aus dem gesamten Prüfungsteil *Leseverstehen* nun in das Antwortblatt auf der nächsten Seite.

Dafür haben Sie 10 Minuten Zeit. Das ist völlig ausreichend, wenn Sie die Lösungen im Prüfungsteil ordentlich eingetragen haben und sie gut leserlich sind.

Achten Sie darauf, dass Sie hier im Antwortbogen nur Kreuze machen dürfen. Für jede Antwort dürfen Sie nur ein Kreuz setzen. Wenn Sie mehr Kreuze machen, gilt die Antwort als falsch, auch wenn etwas Richtiges angekreuzt ist.

Und bitte machen Sie wirklich gut erkennbare Kreuze, keine Punkte, keine Haken, keine Kreise etc. Wenn Sie einmal an der falschen Stelle ein Kreuz gesetzt habe, dann bitte das ganze Feld komplett schwarz oder blau ausfüllen und im richtigen Feld ein Kreuz machen.

Wie es richtig geht, sehen Sie ganz oben auf dem Antwortblatt auf der nächsten Seite.

Antwortblatt Leseverstehen

Sie haben 10 Minuten Zeit, um Ihre Lösungen auf das Antwortblatt zu übertragen.

Markieren Sie mit schwarzem oder blauem Schreiber:

so: ☒ so nicht: ⊡ ☐ ☑

Wenn Sie eine Markierung korrigieren möchten, füllen Sie das falsch markierte Feld ganz aus: ■

Und markieren Sie anschließend das richtige Feld so: ☒

Teil 1: Rund ums Rad

	A	B	C	D	E	F	G	H	I
1	☐	☐	☐	☐	☐	☐	☐	☐	☐
2	☐	☐	☐	☐	☐	☐	☐	☐	☐
3	☐	☐	☐	☐	☐	☐	☐	☐	☐
4	☐	☐	☐	☐	☐	☐	☐	☐	☐
5	☐	☐	☐	☐	☐	☐	☐	☐	☐

Teil 2: Flugzeugwäscher

	A	B	C
6	☐	☐	☐
7	☐	☐	☐
8	☐	☐	☐
9	☐	☐	☐
10	☐	☐	☐
11	☐	☐	☐
12	☐	☐	☐

Teil 3: Haiangriffe auf Menschen

	A	B	C	D	E	F	G
13	☐	☐	☐	☐	☐	☐	☐
14	☐	☐	☐	☐	☐	☐	☐
15	☐	☐	☐	☐	☐	☐	☐
16	☐	☐	☐	☐	☐	☐	☐
17	☐	☐	☐	☐	☐	☐	☐

Teil 4: Fast wie zu Hause

	A	B	C
18	☐	☐	☐
19	☐	☐	☐
20	☐	☐	☐
21	☐	☐	☐
22	☐	☐	☐
23	☐	☐	☐
24	☐	☐	☐

Hörverstehen: Abschlusstraining

Wie Sie schon wissen, werden die Arbeitsschritte im *Hörverstehen* durch den Sprecher / die Sprecherin auf der CD exakt vorgegeben. Deswegen können Sie Ihre Arbeitsschritte nicht individuell anpassen. Sie können hier im Abschlusstraining aber herausfinden, welche Schritte Ihnen Schwierigkeiten bereiten, und sie dann eventuell im Basistraining noch einmal durcharbeiten.

In jedem Prüfungsteil können Sie so vorgehen:

Lesen Sie noch einmal die Arbeitsschritte und Memos zu diesem Prüfungsteil durch.

Sie finden die Arbeitsschritte und Memos vor jedem Prüfungsteil. Wenn Sie nicht mehr sicher sind, was Sie jeweils tun müssen, können Sie die entsprechenden Schritte noch einmal im Basistraining nachlesen, bevor Sie den Prüfungsteil hier beginnen.

Bearbeiten Sie den Prüfungsteil wie in der richtigen Prüfung.

Versuchen Sie, die vorgegebenen Arbeitsschritte einzuhalten und die CD nicht zu stoppen, wenn Sie irgendwo Schwierigkeiten haben. Machen Sie einfach weiter wie in einer richtigen Prüfung.

Überprüfen Sie die Arbeitsschritte.

Überdenken Sie nach jedem Prüfungsteil noch einmal die verschiedenen Arbeitsschritte: Wo hatten Sie Schwierigkeiten? Wo war die Zeit knapp? Was haben Sie vielleicht falsch gemacht? – Machen Sie sich dazu Notizen und sprechen Sie auch mit Ihrem Lehrer / Ihrer Lehrerin über diese Schwierigkeiten.

Ganz am Ende des *Hörverstehens* müssen Sie noch die Lösungen in das Antwortblatt übertragen.

Hörverstehen Teil 1

Schritt 1: Hören und lesen Sie die Einleitung und markieren Sie die wichtigen Informationen.

Schritt 2: Markieren Sie die wichtigen Informationen in den Aufgaben.

- Schlüsselwörter unterstreichen, andere wichtige Wörter einkreisen.
- Thema der Aufgabe erkennen und möglichst Stichwörter notieren.

Schritt 3: Hören Sie das Interview und erkennen Sie die richtigen Aussagen.

- Vor jedem neuen Interviewteil noch einmal den Satzanfang lesen und Thema merken.
- Aufgaben und Abschnitte im Interview sind immer in derselben Reihenfolge.
- Auch bei Zweifeln immer ein Kreuz machen. Sie haben nur eine Chance.
- Die Aussagen im Interview als Ganzes verstehen.

Schritt 4: Kontrollieren Sie Ihre Lösungen.

- Habe ich überall ein Kreuz (und nicht mehr) gemacht?

Teil 1: Interview mit dem Regisseur Gero Weinreuter

Gero Weinreuter ist ein Filmregisseur. Ursprünglich kommt er aus der Werbebranche. In Hamburg hat er vor Kurzem zwei Folgen der Serie „Die Rettungsflieger" gedreht.

Sie hören gleich das Interview. Lesen Sie jetzt die Aufgaben (1–8). Sie haben dafür zwei Minuten Zeit.

Kreuzen Sie beim Hören bei jeder Aufgabe die richtige Lösung an.

Sie hören das Interview **einmal**.

1 Aus organisatorischen Gründen werden die einzelnen Szenen

A ☐ in der Reihenfolge der Geschichte aufgenommen.

B ☐ für den Drehplan weiter unterteilt.

C ☐ an bestimmten Tagen in einem Stück gedreht.

2 Weinreuter ist neu dabei und deshalb

A ☐ muss er zunächst mit anderen Regisseuren arbeiten.

B ☐ möchte er die Serie in einigen Aspekten verändern.

C ☐ will er die ganze Staffel in seinem eigenen Stil drehen.

3 Die Serie sieht anders aus als früher, weil

A ☐ der Kameramann seine eigenen Vorstellungen hat.

B ☐ sich die Gestaltung von Serienfilmen geändert hat.

C ☐ Regisseur und Kameramann aus der Werbebranche kommen.

4 Der Hubschrauber in der Serie „Rettungsflieger"

A ☐ wird mit dem Computer erzeugt.

B ☐ soll möglichst realistisch wirken.

C ☐ fliegt auch für die Konkurrenz.

5 Für Weinreuter ist es als Regisseur wichtig, dass er

A ☐ neue Hauptdarsteller für die Serie findet.

B ☐ die Rollen der Hauptdarsteller verändert.

C ☐ dem Hubschrauber seine zentrale Rolle lässt.

6 Gero Weinreuter erklärt, dass

A ☐ er lieber Spielfilme als Serien dreht.

B ☐ ihm die Struktur wichtiger ist als die Bilder.

C ☐ seine Folgen detailreicher sind als andere Serien.

7 Damit eine Landung spektakulär aussieht, muss der Hubschrauber

A ☐ bei der Landung möglichst tief anfliegen.

B ☐ von einem Kran rasch bewegt werden.

C ☐ viel größer sein als ein normaler Helikopter.

8 Für Weinreuter ist das Interessanteste an seiner Arbeit, dass

A ☐ die Figuren von ihm frei erfunden werden können.

B ☐ die Serie in einem großen Studio gedreht werden kann.

C ☐ die Szenen sehr realistisch dargestellt werden können.

Hörverstehen Teil 2

Schritt 1: Hören und lesen Sie die Einleitung zu Teil 2 A.

- Wenn möglich, erkennen, worum es bei diesem Thema gehen könnte.

Schritt 2: Markieren Sie die unterschiedlichen Meinungen.

- Ihre eigene Meinung zum Thema spielt keine Rolle.
- Kurz über mögliche Gründe für die Meinungen der Personen nachdenken.

Schritt 3: Hören Sie die Texte und lösen Sie die Aufgaben.

- Nach dem Hören jedes Textes sofort ein Kreuz machen.
- Auch wenn Sie nicht sicher sind, auf alle Fälle ein Kreuz machen.

Schritt 4: Hören und lesen Sie die Einleitung zu Teil 2 B.

Schritt 5: Lesen Sie die Aussagen (A–F) und markieren Sie wichtige Informationen.

- Auf Informationen achten, die auf die Meinung der Personen hinweisen.

Schritt 6: Hören Sie noch einmal die Aussagen der Sprecher und ordnen Sie die Sätze A–F zu.

- Auf inhaltliche Übereinstimmungen achten.
- Verwendete Sätze durchstreichen, bei Unsicherheit Fragezeichen machen.

Schritt 7: Kontrollieren Sie Ihre Lösungen.

- Habe ich alle Fragezeichen durch ein Kreuz ersetzt?
- Habe ich in Teil 2 A jeder Person eine Aussage zugeordnet?
- Habe ich in Teil 2 B jeder Person einen Satz zugeordnet?
- Habe ich keinen Satz doppelt zugeordnet?

Teil 2: Profiboxen

Teil 2 A

Sie hören gleich Aussagen von vier Personen zum Thema Profiboxen. Entscheiden Sie beim Hören, welche Aussage (A, B oder C) zu welcher Person (Aufgaben 9–12) passt.

Lesen Sie nun zunächst die Aussagen A, B und C. Sie haben dazu 30 Sekunden Zeit.

Was hält die Person vom Profiboxen als Sport?

A Die Person ist ein richtiger Boxfan.
B Die Person möchte strengere Regeln einführen.
C Die Person lehnt Profiboxen ab.

Aufgabe		A	B	C
		Die Person ist ein richtiger Boxfan.	Die Person möchte strengere Regeln einführen.	Die Person lehnt Profiboxen ab.
9	Person 1			
10	Person 2			
11	Person 3			
12	Person 4			

Teil 2 B

Sie hören dieselben Meinungen der vier Personen gleich ein zweites Mal.
Entscheiden Sie beim Hören, welche der Aussagen A–F zu welcher Person passt (Aufgaben 13–16). Zwei Aussagen bleiben übrig.

Lesen Sie zunächst die Aussagen A–F. Sie haben dazu eine Minute Zeit.

Aufgaben A–F

A	Manchmal können auch Profiboxer das Risiko für Leib und Leben nicht mehr richtig beurteilen.
B	Profiboxer sind herausragende Hochleistungssportler und wichtige Vorbilder für die Jugend.
C	Beim Profiboxen besteht das Ziel darin, dem Gegner körperlichen Schaden zuzufügen.
D	Boxkämpfe zwischen Profiboxern sollten nicht gegen den Willen eines Boxers abgebrochen werden dürfen.
E	Das Profiboxen ist nicht gefährlicher als andere riskante Sportarten.
F	Das Profiboxen ist eine rein kommerzielle Angelegenheit.

Aufgabe		A	B	C	D	E	F
13	Person 1						
14	Person 2						
15	Person 3						
16	Person 4						

Hörverstehen Teil 3

Schritt 1: Hören und lesen Sie die Einleitung.

Schritt 2: Markieren Sie alle wichtigen Informationen in den Aufgaben 17–23 und erkennen Sie das Thema.

- Thema eventuell mit ein, zwei Stichwörtern neben der Aufgabe beschreiben.

Schritt 3: Lösen Sie die Aufgaben beim ersten Hören.

- Schon beim ersten Hören für eine Lösung entscheiden.
- Spätestens dann eine Lösung ankreuzen, wenn ein neues Thema beginnt.

Schritt 4: Bestimmen Sie die richtige Aussage in Aufgabe 24.

Schritt 5: Überprüfen Sie Ihre Lösungen beim zweiten Hören.

- Stimmt meine Lösung mit dem Thema in diesem Abschnitt überein?
- Habe ich nur eine Lösung angekreuzt?
- Habe ich bei jeder Aufgabe eine Lösung angekreuzt?

Teil 3: Was Studenten wirklich leisten

Sie hören gleich einen Radiobericht über den Leistungsdruck bei Studenten.

Lesen Sie jetzt die Aufgaben (17–24). Sie haben dafür zwei Minuten Zeit.

Kreuzen Sie beim Hören bei jeder Aufgabe die richtige Lösung an.

Sie hören den Text **zweimal**.

17 Nach einer neuen Untersuchung

A ☐ sind die Bachelor-Studenten besonders fleißig.

B ☐ ist das Studium nicht so zeitaufwendig wie behauptet.

C ☐ liegt der Arbeitsaufwand der Studenten bei 20 Wochenstunden.

18 Die meisten, die an der Studie teilgenommen haben,

A ☐ mussten während der Studie nebenher Geld verdienen.

B ☐ hatten viel Zeit in die Vorbereitung der Studie investiert.

C ☐ waren über das Ergebnis der Studie ziemlich überrascht.

19 Die neue Untersuchung zur Belastung der Studenten hat Gewicht, weil sie

A ☐ den tatsächlichen Zeitaufwand genau protokolliert hat.

B ☐ die Diskussion über den Arbeitsaufwand beenden wird.

C ☐ die Selbsteinschätzung der Studenten berücksichtigt.

20 Die Studien zeigen, dass viele Studenten heutzutage

A ☐ Freizeit für wichtiger halten als das Studium.

B ☐ zu bequem für ein normales Arbeitspensum sind.

C ☐ neben dem Studium viele andere Aufgaben haben.

21 Eine sinnvolle Planung der Studienzeit wird dadurch erschwert, dass

A ☐ die Studienveranstaltungen chaotisch über die Woche verteilt sind.

B ☐ die zahlreichen Angebote im Internet ziemlich unübersichtlich sind.

C ☐ die Vor- und Nachbereitung der Veranstaltungen sehr schwierig ist.

22 Die Schwierigkeiten der Erstsemester haben auch damit zu tun, dass sie

A ☐ an vielen der Themen kein Interesse haben.

B ☐ viel zu spät mit dem richtigen Lernen beginnen.

C ☐ viele Klausuren während des Semesters schreiben.

23 An Universitäten in vielen Großstädten sind Erstsemester orientierungslos, weil sie

A ☐ durch private Unternehmungen abgelenkt werden.

B ☐ Probleme mit einer effizienten Zeiteinteilung haben.

C ☐ einen schlecht organisierten Studienbetrieb vorfinden.

---

24 In dem Bericht geht es um

A ☐ den tatsächlichen Zeitaufwand für ein Bachelor-Studium.

B ☐ die allgemeinen Studienbedingungen in Deutschland.

C ☐ die hohe Arbeitsbelastung von Studenten.

Nach dem Hörverstehen haben Sie zehn Minuten Zeit, um alle Lösungen aus dem Prüfungsteil *Hörverstehen* in das Antwortblatt einzutragen. Das Antwortblatt finden Sie auf der nächsten Seite. Achten Sie darauf, die richtigen Antworten mit einem einfachen Kreuz ☒ zu markieren.

Antwortblatt Hörverstehen

Beginn :

Sie haben 10 Minuten Zeit, um Ihre Lösungen auf das Antwortblatt zu übertragen.

Markieren Sie mit schwarzem oder blauem Schreiber:

so: ☒ so nicht: ⊡ ☐ ☑

Wenn Sie eine Markierung korrigieren möchten, füllen Sie das falsch markierte Feld ganz aus: ■

Und markieren Sie anschließend das richtige Feld so: ☒

Teil 1: Interview mit Gero Weinreuter

	A	B	C
1	☐	☐	☐
2	☐	☐	☐
3	☐	☐	☐
4	☐	☐	☐
5	☐	☐	☐
6	☐	☐	☐
7	☐	☐	☐
8	☐	☐	☐

Teil 2 A: Profiboxen

	A	B	C
9	☐	☐	☐
10	☐	☐	☐
11	☐	☐	☐
12	☐	☐	☐

Teil 2 B: Profiboxen

	A	B	C	D	E	F
13	☐	☐	☐	☐	☐	☐
14	☐	☐	☐	☐	☐	☐
15	☐	☐	☐	☐	☐	☐
16	☐	☐	☐	☐	☐	☐

Teil 4: Was Studenten wirklich leisten

	A	B	C
17	☐	☐	☐
18	☐	☐	☐
19	☐	☐	☐
20	☐	☐	☐
21	☐	☐	☐
22	☐	☐	☐
23	☐	☐	☐
24	☐	☐	☐

Ende :

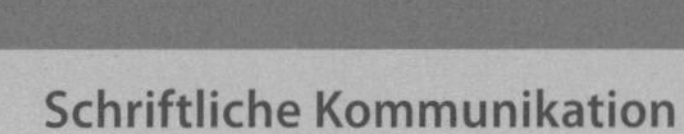

Schriftliche Kommunikation: Abschlusstraining

Schritt 1: Lesen Sie die Aufgabe und unterstreichen Sie das Thema.

Beginn :

Schritt 2: Klären Sie unbekannte Wörter im Text.

- Unbekannte Wörter möglichst mit einem einsprachigen Lexikon klären.

Zwischenzeit: :

Schritt 3: Markieren Sie wichtige Informationen im Text.

Zwischenzeit: :

Schritt 4: Bestimmen Sie den Stellenwert der markierten Aussagen.

Schritt 5: Werten Sie die Grafik aus.

Zwischenzeit: :

- Immer mindestens zwei Vergleiche ausführen.
- Wichtige Zahlen markieren und kommentieren, wo sinnvoll.
- Immer den inhaltlichen Zusammenhang von Zahlen und Fakten beschreiben.

Schritt 6: Erstellen Sie eine geordnete Stoffsammlung.

- Nicht sofort für pro oder contra entscheiden.
- Vor- und Nachteile sowie Sonstiges in einer Tabelle ordnen.
- Eventuell auch Informationen aus Text oder Grafik(en) verwenden.
- Das Thema eventuell durch W-Fragen weiter erschließen.

Zwischenzeit: :

Schritt 7: Erstellen Sie eine Gliederung für Ihre Stellungnahme.

- These formulieren: pro/contra oder Alternative.
- Begründungen für These aus der Stoffsammlung entnehmen oder frei ergänzen.
- Begründungen mit Belegen stützen.
- In der Gliederung nur Stichworte verwenden.
- Die ausgestalteten Argumente nach Wichtigkeit ordnen.

Zwischenzeit: :

Schritt 8: Formulieren Sie die Einleitung zum gesamten Aufsatz.

Zwischenzeit: :

- In der Einleitung das Thema nennen und Interesse wecken.
- Am Ende der Einleitung auf die Stellungnahme hinweisen.

Schritt 9: Formulieren Sie die Wiedergabe des Textes.

Zwischenzeit: :

- Überleitung zur Textwiedergabe nicht vergessen.
- Die logische Struktur des Textes beschreiben.
- Quellenangabe zu Beginn der Textwiedergabe einfügen.
- In der Textwiedergabe gelegentlich wieder auf den Autor / die Autorin verweisen.
- Formulierungen aus dem Text nicht wörtlich übernehmen.

Schritt 10: Formulieren Sie die Auswertung der Grafik.

Zwischenzeit: :

- Überleitung zur Auswertung der Grafik nicht vergessen.

Schritt 11: Formulieren Sie Ihre Stellungnahme.

- Überleitung zum argumentativen Teil der Stellungnahme nicht vergessen.
- Auf die logische Struktur jedes Gedankengangs achten.
- Einen besonders wichtigen Punkt für den Schlussteil aufbewahren.
- Mehrere Argumente mit einem Gegenargument beginnen.
- Das Gegenargument durch einen Vergleich der Belege entkräften.
- Möglichst wenig aus dem Erörterungsteil wiederholen.
- Ganz am Ende etwas kreativ oder ironisch sein.
- Ihre eigene Meinung immer ausführlich begründen.

Schritt 12: Kontrollieren Sie Ihren Aufsatz.

Sind alle Teile vorhanden?
- Einleitung zum gesamten Aufsatz + Vorbereitung auf die Stellungnahme + Überleitung zur Textwiedergabe
- Wiedergabe des Textes + Überleitung zur Auswertung der Grafik
- Auswertung der Grafik + Überleitung zur Stellungnahme
- argumentativer Teil der Stellungnahme + Überleitung zum Schlussteil
- Schlussteil mit begründeter Meinung und Schlussfolgerung

Ist der Aufsatz eine thematische Einheit?
- Sind die sprachlichen Übergänge zwischen den Teilen gelungen?
- Ist Ihre Meinung argumentativ entwickelt?
- Ist Ihre Meinung ausführlich begründet?

Aufgabe

Führerschein mit 17

Schreiben Sie einen **zusammenhängenden Text** zum Thema „Führerschein mit 17". Bearbeiten Sie in Ihrem Text die folgenden drei Punkte:

- Arbeiten Sie wichtige Aussagen aus dem Text heraus.
- Werten Sie die Grafik anhand von wichtigen Daten aus.
- Nehmen Sie in Form einer ausgearbeiteten Argumentation ausführlich zum Thema „Führerschein mit 17" Stellung.

Sie haben insgesamt **120 Minuten** Zeit.

Führerschein mit 17

Seit Anfang 2011 können Jugendliche in ganz Deutschland schon mit 17 Jahren den Führerschein machen. Mit 16,5 Jahren können sie bereits mit dem Fahrunterricht in einer Fahrschule beginnen. Ab

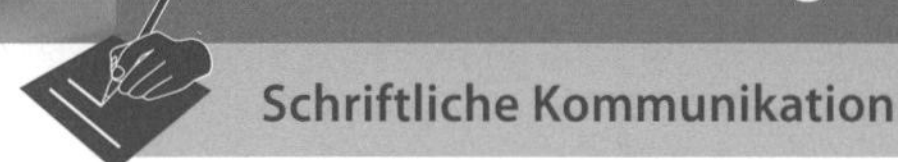

ihrem 17. Geburtstag dürfen sie sich dann ans Steuer eines Autos setzen, aber nur, wenn sie von einem Beifahrer mit Führerschein begleitet werden, der mindestens 30 Jahre alt ist. Außerdem muss der Beifahrer den Führerschein selbst schon mindestens fünf Jahre besitzen.

Wenn ein junger Fahranfänger die Auflagen für „begleitetes Fahren" missachtet, verliert er seine Fahrerlaubnis. Außerdem muss er eine Strafe bezahlen und ein zusätzliches Seminar machen, bevor er sich erneut um eine Fahrerlaubnis bewerben kann.

Bereits wenige Jahre nach der Einführung ist klar: Das begleitete Fahren ab 17 bereitet Fahranfänger besser auf den Straßenverkehr vor als der Führerschein mit 18. Dass sich die 17-Jährigen nur in Begleitung einer erfahrenen Person ans Steuer setzen dürfen, sorgt für mehr Sicherheit auf Deutschlands Straßen.

Diese Tatsache scheint sich unter den älteren Autofahrern noch nicht herumgesprochen zu haben. Wie eine Umfrage des Nürnberger Tagblatts zeigt, ist eine große Mehrheit der Leser davon überzeugt, dass junge Autofahrer ein Risiko für die Verkehrssicherheit darstellen.

In der Praxis ist das begleitete Fahren bis zur Volljährigkeit aber eine verlängerte Lernphase unter Praxisbedingungen. Die Begleitperson dient als Ansprechpartner und kann Hinweise und Ratschläge geben. Die Anfänger fahren selbständig und erwerben dadurch Erfahrung und Selbstsicherheit im Straßenverkehr.

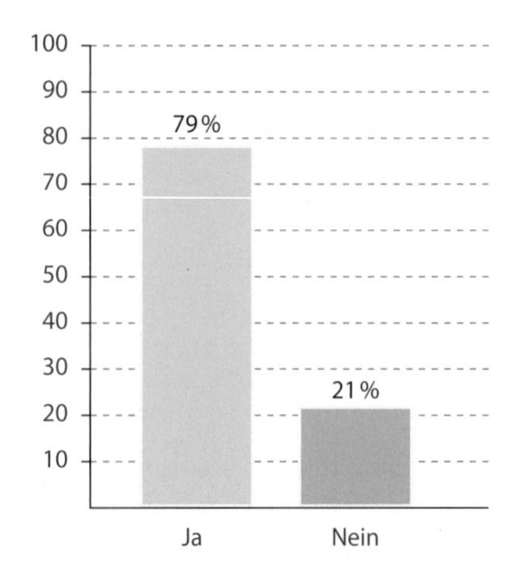

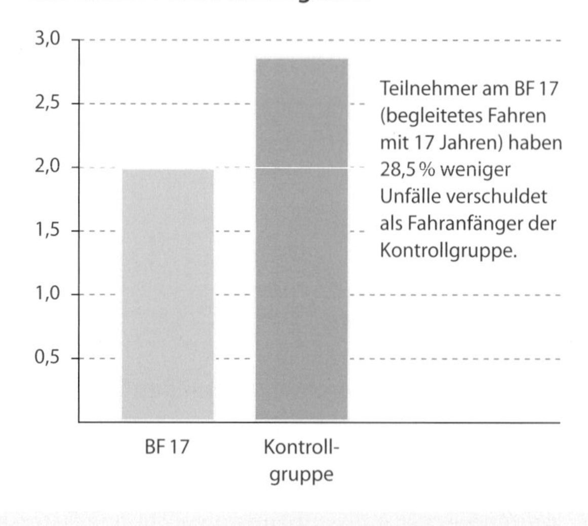

Quelle: Nürnberger Tagblatt, Ingo Rutz, 21.01.2015

Wie in der richtigen Prüfung können Sie Ihren Aufsatz auf die „Schreibblätter" (Seite 185 und 186) schreiben. Danach sollten Sie Ihren Lehrer / Ihre Lehrerin bitten, Ihren Aufsatz zu korrigieren.

Wenn Sie alles richtig gemacht haben, müssen Sie an Ihrer Arbeitsweise nichts ändern und können beruhigt in die Prüfung gehen. Wenn Sie mit dem Aufsatz noch Schwierigkeiten hatten, arbeiten Sie noch einmal das Basis- und das Powertraining durch: Übung macht den Meister!

Schriftliche Kommunikation

Schreibblatt

____

Familienname, Vorname

Seite: 1

	5
	10
	15
	20

Schriftliche Kommunikation

Schreibblatt

____

Familienname, Vorname

Seite: 2

	25
	30
	35
	40

Wenn der Platz nicht reicht, bitte auf einem Extrablatt weiterschreiben.

Der Kurzvortrag: Abschlusstraining

Schritt 1: Lesen Sie die Überschrift und unterstreichen Sie das Thema.

Beginn :

- Kurz über das Thema nachdenken.

Schritt 2: Sammeln Sie erste Ideen zum Thema.

- Möglichst zu **allen** Aspekten einige Notizen machen.
- Schnell arbeiten, nicht zu lange über Einzelheiten nachdenken.

Schritt 3: Wählen Sie die Aspekte des Themas aus.

- Drei bis vier wichtige Aspekte auswählen und markieren.
- Auch Aspekte auswählen, die sich auf Ideale, Werte u. ä. beziehen.

Schritt 4: Arbeiten Sie Ihre Ideen zu den Aspekten aus.

- Redezeit voll nutzen, möglichst fünf Minuten vorbereiten.
- Das Thema und seine Aspekte mit W-Fragen erschließen.
- Unbekannte Wörter im zweisprachigen Wörterbuch nachschlagen.
- Wörterbücher nur dann benutzen, wenn unbedingt nötig.
- Nicht mehr als drei bis vier Unterpunkte pro Aspekt ausführen.
- Unterpunkt weglassen, wenn Sie viele Wörter nicht kennen.
- Beim Formulieren auf den Stellenwert der Aussagen achten.
- Möglichst Beispiele verwenden, die allgemein bekannt sind.
- Eigene Meinung immer begründen.

Schritt 5: Erstellen Sie die Unterlagen für Ihre Präsentation.

- Auf Folie verzichten, wenn Zeit knapp ist.
- Schwierige Aspekte etwa in der Mitte des Vortrags ansprechen.
- Auf der Folie nur Stichworte verwenden.

Schritt 6: Üben Sie Ihren Kurzvortrag.

- Vortrag einmal leise sich selbst vorsprechen.
- Ein paar Unterpunkte streichen, wenn Vortrag zu lang ist.

Ende :

Schritt 7: Halten Sie Ihren Kurzvortrag.

Beginn :

- Beim Betreten des Prüfungsraums grüßen und Blickkontakt herstellen.
- Blickkontakt während des Kurzvortrags halten.
- Langsam und deutlich sprechen.

Ende :

Schritt 8: Beantworten Sie die Fragen des Prüfers / der Prüferin.

- Rückfragen stellen oder eine Frage wiederholen, um Zeit zu gewinnen.
- Wenn nötig, auch einmal zugeben, dass man etwas nicht weiß.

Aufgabe

Fast Food

Diskutieren Sie das Thema „Fast Food".

Vertiefen Sie das Thema anhand von mindestens drei der folgenden Stichwörter:

Gesundheit	Kosten	Wirtschaft
Vorteile	Fast Food	Werbung
Globalisierung	Geschmack	…

Bereiten Sie zu dem oben angegebenen Thema einen Kurzvortrag (3–5 Minuten) vor. Um das Thema vertieft vorzutragen, reicht es aus, drei Stichwörter aus der obigen Vorlage in Ihrem Kurzvortrag einzubeziehen. Darüber hinaus können Sie Ihren Vortrag mit eigenen Stichwörtern erweitern.

Zur Unterstützung Ihres Vortrages können Sie Materialien (Folien, Skizzen, Stichwörter) erstellen.

Die Präsentation: Abschlusstraining

In diesem Teil werden Sie ein vollständiges Referat vorbereiten. Sie können es bereits so ausarbeiten, dass Sie es in der richtigen Prüfung verwenden können.

Im Basistraining haben Sie gelernt, wie Sie das Thema in Arbeitsschritten vorbereiten können.

Schritt 1: Wählen Sie ein Thema aus.

- Das Thema Ihres Referats möglichst früh mit dem Lehrer / der Lehrerin festlegen.
- Das Thema sollte problemorientiert sein und verschiedene Perspektiven zulassen.
- Das Thema sollte einen Bezug zu Deutschland haben.
- Das Thema sollte einen interkulturellen Vergleich ermöglichen.
- Ein Thema wählen, mit dem Sie eine persönliche Botschaft verbinden können.

Mein Thema für das Sprachdiplom 2: ______________________________

Schritt 2: Finden Sie geeignete Quellen.

- Sobald das Thema steht, mit der Recherche beginnen.
- Deutschsprachige Internetseiten helfen, den Wortschatz zu erweitern.
- Zum Thema mehr Wissen aneignen, als Sie für das Referat brauchen.

Meine Quellen: ______________________________

Schritt 3: Erarbeiten Sie das Thema und machen Sie eine Stoffsammlung.

- Das Thema mit W-Fragen erarbeiten und eine Stoffsammlung machen.
- In mehreren unterschiedlichen Quellen recherchieren.

Schritt 4: Ordnen Sie das Material und erstellen Sie eine Gliederung.

- Aus den recherchierten Informationen eine Auswahl treffen.
- Möglichst jeden Gliederungspunkt veranschaulichen, belegen und bewerten.
- Punkte nach Wichtigkeit ordnen.

Allgemeines Gliederungsschema

Einleitung:
- Thema nennen
- Begründung für die Wahl des Themas

Hauptteil:
- Informationen und Beobachtungen
- Veranschaulichung durch konkrete Beispiele
- Bewertung der Informationen und Beobachtungen
- Belege für die Bewertung (Zahlen, Statistiken, Zitate von anerkannten Personen / aus anerkannten Qualitätszeitungen etc.)
- Bezug zu Deutschland / interkultureller Vergleich

Schlussteil:
- Schlussgedanke / Empfehlung / Botschaft

Schritt 5: Planen Sie den Einsatz der akustischen und/oder visuellen Materialien.

- Die ausgewählten Materialien sollen den Vortrag inhaltlich ergänzen.
- Auch in einer Powerpoint-Präsentation geht es vor allem um den Inhalt, nicht um die Effekte.

Schritt 6: Formulieren Sie den Text.

- Mit der Arbeit am Wortschatz rechtzeitig beginnen.
- Sachlich berichten und dennoch eine persönliche Botschaft vermitteln.
- Texte nicht abschreiben, sondern selbstständig formulieren.
- Ausformulierten Vortrag nicht auswendig lernen.

Schritt 7: Notieren Sie die Stichwörter für Ihre Präsentation.

- Die Stichwörter für die Präsentation auf nummerierte Handzettel schreiben.

Schritt 8: Machen Sie eine Generalprobe.

- Geben Sie Ihren Zuhörern diese Checkliste und überprüfen Sie Ihre Zeit:

Beginn __ : __

Wortschatz stimmt	☐ ja	☐ nein
Fachwörter richtig	☐ ja	☐ nein
genügend Informationen und Fakten	☐ ja	☐ nein
Begründungen, Schlussfolgerungen, Beispiele berücksichtigt	☐ ja	☐ nein
Fakten/Informationen bewertet	☐ ja	☐ nein
eigene Meinung deutlich herausgearbeitet	☐ ja	☐ nein
eigene Meinung gut begründet	☐ ja	☐ nein
Medien sinnvoll eingesetzt	☐ ja	☐ nein

Ende __ : __

Schritt 9: Bereiten Sie sich auf mögliche Fragen vor.

- Gibt es Aussagen im Text, die zu Rückfragen führen könnten?
- Ist die Wahl meines Themas gut begründet?
- Gibt es einen Bezug zu Deutschland?
- Ist ein interkultureller Vergleich möglich?

Inhalt der Audio-CDs

CD 1

CD 2

Quellenverzeichnis